世說新語卷中

品藻第九

1 汝南陳仲舉、潁川李元禮，二人共論其功德，不能定先後。蔡伯喈評之曰：『陳仲舉強于犯上，李元禮嚴于攝下。犯上難，攝下易。』仲舉遂在『三君』之下，元禮居『八俊』之上。

2 龐士元至吳，吳人并友之。見陸績、顧劭、全琮，而為之目曰：『陸子所謂駑馬有逸足之用，顧子所謂駑牛可以負重致遠。』或問：『如所目，陸為勝邪？』曰：『駑馬雖精速，能致一人耳。駑牛一日行百里，所致豈一人哉？』吳人無以難。『全子好聲名，似汝南樊子昭。』

3 顧劭嘗與龐士元宿語，問曰：『聞子名知人，吾與足下孰愈？』曰：『陶冶世俗，與時浮沈，吾不如子；論王霸之餘策，覽倚仗之要害，吾似有一日之長。』劭亦安其言。

世說新語

品藻第九

五七

4 諸葛瑾弟亮及從弟誕，并有盛名，各在一國。于時以為蜀得其龍，吳得其虎，魏得其狗。誕在魏，與夏侯玄齊名；瑾在吳，吳朝服其弘量。

5 司馬文王問武陔：『陳玄伯何如其父司空？』陔曰：『通雅博暢，能以天下聲教為己任者，不如也；明練簡至，立功立事，過之。』

6 正始中，人士比論，以五荀方五陳：荀淑方陳寔，荀靖方陳諶，荀爽方陳紀，荀彧方陳羣，荀顗方陳泰。又以八裴方八王：裴徽方王祥，裴楷方王夷甫，裴康方王綏，裴綽方王澄，裴瓚方王敦，裴遐方王導，裴頠方王戎，裴邈方王玄。

7 冀州刺史楊淮二子喬與髦，俱總角為成器。淮與裴頠、樂廣友善，遣見之。頠性弘方，愛喬之有高韻，謂淮曰：『喬當及卿，髦小減也。』廣性清淳，愛髦之有神檢，謂淮曰：『喬自及卿，然髦尤精出。』淮笑曰：『我二兒之優劣，乃裴、樂之優劣。』論者評之，以為喬雖高韻，而檢不匝，樂言為得。然并為後出之俊。

世說新語

品藻第九

8 劉令言始入洛，見諸名士而嘆曰：「王夷甫太解明，樂彥輔我所敬，張茂先我所不解，周弘武巧于用短，杜方叔拙于用長。」

9 王夷甫云：「閭丘沖優于滿奮、郝隆。此三人并是高才，沖最先達。」

10 王夷甫以王東海比樂令，故王中郎作碑云：「當時標榜，爲樂廣之儷。」

11 庾中郎與王平子雁行。

12 王大將軍在西朝時，見周侯，輒扇障面不得住。後度江左，不能復爾，王嘆曰：「不知我進伯仁退？」

13 會稽虞騑，元皇時與桓宣武同俠，其人有才理勝望。王丞相嘗謂騑曰：「孔愉有公才而無公望，丁潭有公望而無公才，兼之者其在卿乎？」駿未達而喪。

14 明帝問周伯仁：「卿自謂何如郗鑒？」周曰：「鑒方臣如有功夫。」復問郗，郗曰：「周顗比臣有國士門風。」

15 王大將軍下，庾公問：「卿有四友，何者是？」答曰：「君家中郎，我家太尉、阿平、胡毋彥國。阿平故當最劣。」庾曰：「似未肯劣。」庾又問：「何者居其右？」王曰：「自有人。」又問：「何者是？」王曰：「噫！其自有公論。」

16 人問丞相：「周侯何如和嶠？」答曰：「長輿嵯櫱。」

17 明帝問謝鯤：「君自謂何如庾亮？」答曰：「端委廟堂，使百僚準則，臣不如亮；，一丘一壑，自謂過之。」

18 王丞相二弟不過江，曰穎，曰敞。時論以穎比鄧伯道，敞比溫忠武。議郎、祭酒者也。

19 明帝問周侯：「論者以卿比郗鑒，云何？」周曰：「陛下不須牽顗比。」

20 王丞相云：「頃下論以我比安期、千里。亦推此二人；唯共推太尉，此君特秀。」

21 宋禕曾爲王大將軍妾，後屬謝鎮西。鎮西問禕：「我何如王？」答曰：「王比使君，田舍、貴人耳。」鎮西妖冶故也。

我周旋久，寧作我。」

臣，從容廊廟，臣不如亮。」

22 明帝問周伯仁：「卿自謂何如庾元規？」對曰：「蕭條方外，亮不如

23 王丞相辟王藍田為掾，庾公問丞相：「藍田何似？」王曰：「真獨簡貴，

不減父祖；然曠澹處故當不如爾。」

24 卞望之云：「郗公體中有三反：方于事上，好下佞己，一反；治身清

貞，大修計校，二反；自好讀書，憎人學問，三反。」

25 世論溫太真是過江第二流之高者。時名輩共說人物，第一將盡之間，

溫常失色。

26 王丞相云：「見謝仁祖，恒令人得上。」與何次道語，唯舉手指地曰：

「正自爾馨。」

27 何次道為宰相，人有譏其信任不得其人。阮思曠慨然曰：「次道自不

至此。但布衣超居宰相之位，可恨唯此一條而已！」

28 王右軍少時，丞相云：「逸少何緣復減萬安邪！」

世說新語

品藻第九

29 郗司空家有傖奴，知及文章，事事有意。王右軍向劉尹稱之，劉問：「何

如方回？」王曰：「此正小人有意向耳，何得便比方回？」劉曰：「若不如方

回，故是常奴耳。」

30 時人道阮思曠，骨氣不及右軍，簡秀不如真長，韶潤不如仲祖，思致不

如淵源，而兼有諸人之美。

31 簡文云：「何平叔巧累于理，嵇叔夜俊傷其道。」

32 時人共論晉武帝出齊王之與立惠帝，其孰多？多謂立惠帝為重。桓

温曰：「不然，使子繼父業，弟承家祀，有何不可？」

33 人問殷淵源：「當世王公，以卿比裴叔道，云何？」殷曰：「故當以識

通暗處。」

34 撫軍問殷浩：「卿定何如裴逸民？」良久答曰：「故當勝耳。」

35 桓公少與殷侯齊名，常有競心。桓問殷：「卿何如我？」殷云：「我與

36 撫軍問孫興公：「劉真長何如？」曰：「清蔚簡令。」「王仲祖何如？」曰：「清易令達。」「桓溫何如？」曰：「高爽邁出。」「謝仁祖何如？」曰：「溫潤恬和。」「阮思曠何如？」曰：「弘潤通長。」「袁羊何如？」曰：「洮洮清便。」「殷洪遠何如？」曰：「遠有致思。」「卿自謂何如？」曰：「下官才能所經，悉不如諸賢；至于斟酌時宜，籠罩當世，亦多所不及。然以不才，時復托懷玄勝，遠詠《老》、《莊》，蕭條高寄，不與時務經懷，自謂此心無所與讓也。」

37 桓大司馬下都，問真長曰：「聞會稽王語奇進，爾邪？」劉曰：「極進，然故是第二流中人耳！」桓曰：「第一流復是誰？」劉曰：「正是我輩耳！」

38 殷侯既廢，桓公語諸人曰：「少時與淵源共騎竹馬，我弃去，已輒取之，故當出我下。」

39 人問撫軍：「殷浩談竟何如？」答曰：「不能勝人，差可獻酬群心。」

40 簡文云：「謝安南清令不如其弟，學義不及孔岩，居然自勝。」

41 未廢海西時，王元琳問桓元子：「箕子、比干迹異心同，不審明公孰是孰非？」曰：「仁稱不异，寧爲管仲。」

世說新語

品藻第九

六〇

42 劉丹陽、王長史在瓦官寺集，桓護軍亦在坐，共商略西朝及江左人物。或問：「杜弘治何如衛虎？」桓答曰：「弘治膚清，衛虎奕奕神令。」王、劉善其言。

43 劉尹撫王長史背曰：「阿奴比丞相，但有都長。」

44 劉尹、王長史同坐，長史酒酣起舞。劉尹曰：「阿奴今日不復減向子期。」

45 桓公問孔西陽：「安石何如仲文？」孔思未對，反問公曰：「何如？」答曰：「安石居然不可陵踐，其處故乃勝也。」

46 謝公與時賢共賞說，遏、胡兒并在坐。公問李弘度曰：「卿家平陽，何如樂令？」于是李潛然流涕曰：「趙王篡逆，樂令親授璽綬。亡伯雅正，耻處亂朝，遂至仰藥。恐難以相比！此自顯于事實，非私親之言。」謝公語胡兒曰：「有識者果不异人意。」

世説新語

品藻第九

47 王脩齡問王長史：『我家臨川，何如卿家宛陵？』長史未答，脩齡曰：『臨川譽貴。』長史曰：『宛陵未爲不貴。』

48 劉尹至王長史許清言，時苟子年十三，倚床邊聽。既去，問父曰：『劉尹語何如尊？』長史曰：『韶音令辭不如我，往輒破的勝我。』

49 謝萬壽春敗後，簡文問郗超：『萬自可敗，那得乃爾失士卒情？』超曰：『伊以率任之性，欲區別智勇。』

50 劉尹謂謝仁祖曰：『自吾有四友，門人加親。』謂許玄度曰：『自吾有由，惡言不及于耳。』二人皆受而不恨。

51 世目殷中軍『思緯淹通』，比羊叔子。

52 有人問謝安石、王坦之優劣于桓公。桓公停欲言，中悔，曰：『卿喜傳人語，不能復語卿。』

53 王中郎嘗問劉長沙曰：『我何如苟子？』劉答曰：『卿才乃當不勝苟子，然會名處多。』王笑曰：『痴！』

54 支道林問孫興公：『君何如許掾？』孫曰：『高情遠致，弟子蚤已服膺；一吟一咏，許將北面。』

55 王右軍問許玄度：『卿自言何如安石？』許未答，王因曰：『安石故相爲雄，阿萬當裂眼爭邪？』

56 劉尹云：『人言江虨田舍，江乃自田宅屯。』

57 謝公云：『金谷中蘇紹最勝。』紹是石崇姊夫，蘇則孫，愉子也。

58 劉尹目庾中郎：『雖言不愔愔似道，突兀差可以擬道。』

59 孫承公云：『謝公清于無奕，潤于林道。』

60 或問林公：『司州何如二謝？』林公曰：『故當攀安提萬。』

61 孫興公、許玄度皆一時名流。或重許高情，則鄙孫穢行，或愛孫才藻，而無取于許。

62 郗嘉賓道謝公造膝雖不深徹，而纏綿至。又曰：『右軍詣嘉賓。』嘉賓聞之云：『不得稱詣，政得謂之朋耳。』謝公以嘉賓言爲得。

世説新語

品藻第九

63 庾道季云：「思理倫和，吾愧康伯，志力強正，吾愧文度。自此以還，吾皆百之。」

64 王僧恩輕林公，藍田曰：「勿學汝兄，汝自不如伊。」

65 簡文問孫興公：「袁羊何似？」答曰：「不知者不負其才，知之者無取其體。」

66 蔡叔子云：「韓康伯雖無骨幹，然亦膚立。」

67 郗嘉賓問謝太傅曰：「林公談何如嵇公？」謝云：「嵇公勤著腳，裁可得去耳。」又問：「殷何如支？」謝曰：「正爾有超拔，支乃過殷。然脣脣論辯，恐口欲制支。」

68 庾道季云：「廉頗、藺相如雖千載上死人，懍懍恒如有生氣。曹蜍、李志雖見在，厭厭如九泉下人。人皆如此，便可結繩而治，但恐狐狸貒狢噉盡。」

69 衛君長是蕭祖周婦兄，謝公問孫僧奴：「君家道衛君長云何？」孫曰：「云是世業人。」謝曰：「殊不爾，衛自是理義人。」于時以比殷洪遠。

70 王子敬問謝公：「林公何如庾公？」謝殊不受，答曰：「先輩初無論，庾公自足沒林公。」

71 謝遏諸人共道『竹林』優劣，謝公云：「先輩初不臧貶『七賢』。」

72 有人以王中郎比車騎，車騎聞之曰：「伊窟窟成就。」

73 謝太傅謂王孝伯：「劉尹亦奇自知，然不言勝長史。」

74 王黃門兄弟三人俱詣謝公，子猷、子重多說俗事，子敬寒溫而已。既出，坐客問謝公：「向三賢孰愈？」謝公曰：「小者最勝。」客曰：「何以知之？」謝公曰：「吉人之辭寡，躁人之辭多。推此知之。」

75 謝公問王子敬：「君書何如君家尊？」答曰：「固當不同。」公曰：「外人論殊不爾。」王曰：「外人那得知？」

76 王孝伯問謝太傅：「林公何如長史？」太傅曰：「長史韶興。」問：「何如劉尹？」謝曰：「噫！劉尹秀。」王曰：「若如公言，并不如此二人邪？」謝云：「身意正爾也。」

77 人有問太傅：「子敬可是先輩誰比？」謝曰：「阿敬近撮王、劉之標。」

78 謝公語孝伯：「君祖比劉尹，故為得逮。」孝伯云：「劉尹非不能逮，直不逮。」

79 袁彥伯為吏部郎，子敬與郗嘉賓書曰：「彥伯已入，殊足頓興往之氣。」故知捶撻自難為人，冀小却當復差耳。

80 王子猷、子敬兄弟共賞《高士傳》人及贊，子敬賞「井丹高潔」。子猷云：「未若『長卿慢世』。」

81 有人問袁侍中曰：「殷中堪何如韓康伯？」答曰：「理義所得，優劣乃復未辨；然門庭蕭寂，居然有名士風流，殷不及韓。」故殷作誄云：「荊門晝掩，閑庭晏然。」

82 王子敬問謝公：「嘉賓何如道季？」答曰：「道季誠復鈔撮清悟，嘉賓故自上。」

世說新語

規箴第十

83 王珣疾，臨困，問王武岡曰：「世論以我家領軍比誰？」武岡曰：「世以比王北中郎。」東亭轉臥向壁，嘆曰：「人固不可以無年！」

84 王孝伯道謝公濃至。又曰：「長史虛，劉尹秀，謝公融。」

85 王孝伯問謝公：「林公何如右軍？」謝曰：「右軍勝林公，林公在司州前，亦貴徹。」

86 桓玄為太傅，大會，朝臣畢集，坐裁竟，問王楨之曰：「我何如卿第七叔？」于時賓客為之咽氣。王徐徐答曰：「亡叔是一時之標，公是千載之英。」一坐歡然。

87 桓玄問劉太常曰：「我何如謝太傅？」劉答曰：「公高，太傅深。」又曰：「何如賢舅子敬？」答曰：「櫨、梨、橘、柚，各有其美。」

88 舊以桓謙比殷仲文。桓玄時，仲文入，桓于庭中望見之，謂同坐曰：「我家中軍那得及此也！」

規箴第十

1 漢武帝乳母嘗于外犯事，帝欲申憲，乳母求救東方朔。朔曰：「此非脣

舌所爭，爾必望濟者，將去時但當屢顧帝，慎勿言，此或可萬一冀耳。」乳母

既至，朔亦侍側，乃淒然愍之，即敕免罪。

忍，亦深有情戀，因謂曰：「汝癡耳！帝豈復憶汝乳哺時恩邪？」帝雖才雄心

2 京房與漢元帝共論，因問帝：「幽、厲之君何以亡？所任何人？」答

曰：「其任人不忠。」房曰：「知不忠而任之，何邪？」曰：「亡國之君，各

賢其臣，豈知不忠而任之？」房稽首曰：「將恐令之視古，亦猶後之視今

也。」

3 陳元方遭父喪，哭泣哀慟，軀體骨立。其母愍之，竊以錦被蒙上。郭

林宗弔而見之，謂曰：「卿海內之俊才，四方是則，如何當喪，錦被蒙上？

孔子曰：『衣夫錦也，食夫稻也，于汝安乎？』吾不取也！」奮衣而去。自

後賓客絕百所日。

4 孫休好射雉，至其時，則晨去夕反，群臣莫不止諫：「此為小物，何足甚

躭？」休曰：「雖為小物，耿介過人，朕所以好之。」

世説新語

規箴第十

六四

5 孫皓問丞相陸凱曰：「卿一宗在朝有幾人？」陸曰：「二相、五侯、將

軍十餘人。」皓曰：「盛哉！」陸曰：「君賢臣忠，國之盛也；父慈子孝，家之

盛也。今政荒民弊，覆亡是懼，臣何敢言盛！」

6 何晏、鄧颺令管輅作卦，云：「不知位至三公不？」卦成，輅稱引古義，

深以戒之。颺曰：「此老生之常談。」晏曰：「知幾其神乎！古人以為難。

交疏吐誠，今人以為難。今君一面盡二難之道，可謂『明德惟馨』。《詩》不

云乎：『中心藏之，何日忘之！』」

7 晉武帝既不悟太子之愚，必有傳後意：諸名臣亦多獻直言。帝嘗在陵

雲臺上坐，衛瓘在側，欲申其懷，因如醉，跪帝前，以手撫床曰：「此坐可惜。」

帝雖悟，因笑曰：「公醉邪？」

8 王夷甫婦，郭泰寧女，才拙而性剛，干豫人事。夷甫患之而

不能禁。時其鄉人幽州刺史李陽，京都大俠，猶漢之樓護，郭氏憚之。夷甫驟

諫之，乃曰：「非但我言卿不可，李陽亦謂卿不可。」郭氏小為之損。

世説新語

規箴第十

9 王夷甫雅尚玄遠，常疾其婦貪濁，口未嘗言「錢」字。婦欲試之，令婢以錢遶床，不得行。夷甫晨起，見錢閡行，呼婢曰：「舉却阿堵物！」

10 王平子年十四五，見王夷甫妻郭氏貪欲，令婢路上儋糞。平子諫之，并言不可。郭大怒，謂平子曰：「昔夫人臨終，以小郎囑新婦，不以新婦囑小郎！」急捉衣裾，將與杖。平子饒力，爭得脫，逾窗而走。

11 元帝過江猶好酒，王茂弘與帝有舊，常流涕諫。帝許之，命酌酒一酣，從是遂斷。

12 謝鯤為豫章太守，從大將軍下至石頭。敦謂鯤曰：「余不得復為盛德之事矣！」鯤曰：「何為其然？但使自今已後，日亡日去耳。」敦又稱疾不朝，鯤諭敦曰：「近者，明公之舉，雖欲大存社稷，然四海之內，實懷未達。若能朝天子，使群臣釋然，萬物之心，于是乃服。仗民望以從眾懷，盡沖退以奉主上，如斯，則勳侔一匡，名垂千載。」時人以為名言。

13 元皇帝時，廷尉張闓在小市居，私作都門，蚤閉晚開。群小患之，詣州府訴，不得理；遂至樞登聞鼓，猶不被判。聞賀司空出，至破岡，連名詣賀訴。賀曰：「身被徵作禮官，不關此事。」群小叩頭曰：「若府君復不見治，便無所訴。」賀未語，令：「且去，見張廷尉當為及之。」張聞，即毀門，自至方山迎賀，賀出見辭之，曰：「此不必見關，但與君門情，相為惜之。」張愧謝曰：「小人有如此，始不即知，早已毀壞。」

14 郗太尉晚節好談，既雅非所經，而甚矜之。後朝覲，以王丞相末年多可恨，每見必欲苦相規誡。王公知其意，每引作他言。臨還鎮，故命駕詣丞相。丞相翹須屬色，上坐便言：「方當乖別，必欲言所見。」意滿口重，辭殊不流。王公攝其次，曰：「後面未期，亦欲盡所懷，願公勿復談。」郗遂大瞋，冰衿而出，不得一言。

15 王丞相為揚州，遣八部從事之職，顧和時為下傳還，同時俱見，諸從事各奏二千石官長得失，至和獨無言。王問顧曰：「卿何所聞？」答曰：「明公作輔，寧使網漏吞舟，何緣采聽風聞，以為察察之政？」丞相咨嗟稱佳，諸從事

自視缺然也。

16 蘇峻東征沈充，請吏部郎陸邁與俱。將至吳，密敕左右，令入閶門放火以示威。陸知其意，謂峻曰：「吳治平未久，必將有亂。若爲亂階，可從我家始。」峻遂止。

17 陸玩拜司空，有人詣之，索美酒，得，便自起瀉著梁柱間地，祝曰：「當今乏才，以爾爲柱石之用，莫傾人棟梁。」玩笑曰：「戩卿良箴。」

18 小庾在荊州，公朝大會，問諸僚佐曰：「我欲爲漢高、魏武，何如？」一坐莫答。長史江虨曰：「願明公爲桓、文之事，不願作漢高、魏武也。」

19 羅君章爲桓宣武從事，謝鎮西作江夏，往檢校之。羅既至，初不問郡事，徑就謝數日飲酒而還。桓公問有何事，君章云：「不審公謂謝尚何似人？」桓公曰：「仁祖是勝我許人。」君章云：「豈有勝公人而行非者，故一無所問。」桓公奇其意而不責也。

20 王右軍與王敬仁、許玄度并善。二人亡後，右軍爲論議更克。孔巖誡之曰：「明府昔與王、許周旋有情，及逝沒之後，無慎終之好，民所不取。」右軍甚愧。

世說新語　規箴第十

21 謝中郎在壽春敗，臨奔走，猶求玉帖鐙。太傅在軍，前後初無損益之言。

22 王大語東亭：「卿乃復論成不惡，那得與僧彌戲！」

23 殷覬病困，看人政見半面。殷荊州與晉陽之甲，往與覬別，涕零，屬以消息所患。覬答曰：「我病自當差，正憂汝患耳！」

24 遠公在廬山中，雖老，講論不輟。弟子中或有墮者，遠公曰：「桑榆之光，理無遠照；但願朝陽之暉，與時并明耳。」執經登坐，諷誦朗暢，詞色甚苦。高足之徒，皆肅然增敬。

25 桓南郡好獵，每田狩，車騎甚盛，五六十里中，旌旗蔽隰。騁良馬，馳擊若飛，雙甄所指，不避陵壑。或行陳不整，麈兔騰逸，參佐無不被繫束。桓道恭，玄之族也，時爲賊曹參軍，頗敢直言。常自帶絳綿繩著腰中，玄問……

差。

「此何爲？」答曰：「公獵，好縛人士，會當被縛，手不能堪芒也。」玄自此小

26王緒、王國寶相爲脣齒，并上下權要。王大不平其如此，乃謂緒曰：「汝爲此歘歘，曾不慮獄吏之爲貴乎？」

27桓玄欲以謝太傅宅爲營，謝混曰：「召伯之仁，猶惠及甘棠；文靖之德，更不保五畝之宅。」玄慚而止。

世說新語

捷悟第十一

1楊德祖爲魏武主簿，時作相國門，始構榱桷，魏武自出看，使人題門作「活」字，便去。楊見，即令壞之。既竟，曰：「『門』中『活』，『闊』字。王正嫌門大也。」

2人餉魏武一杯酪，魏武噉少許，蓋頭上題『合』字以示衆。衆莫能解。次至楊脩，脩便噉，曰：「公教人噉一口也，復何疑？」

3魏武嘗過曹娥碑下，楊脩從。碑背上見題作『黃絹幼婦，外孫韲臼』八字，魏武謂脩曰：「解不？」答曰：「解。」魏武曰：「卿未可言，待我思之。」行三十里，魏武乃曰：「吾已得。」令脩別記所知。脩曰：「黃絹，色絲也，于字爲「絕」；幼婦，少女也，于字爲「妙」；外孫，女子也，于字爲「好」；韲臼，受辛也，于字爲「辭」。所謂「絕妙好辭」也。」魏武亦記之，與脩同，乃嘆曰：「我才不及卿，乃覺三十里。」

4魏武征袁本初，治裝，餘有數十斛竹片，咸長數寸，衆云并不堪用，正令燒除。太祖思所以用之，謂可爲竹椑楯，而未顯其言，馳使問主簿楊德祖。應聲答之，與帝心同。衆伏其辯悟。

5王敦引軍至大桁，明帝自出中堂。溫嶠爲丹陽尹，帝令斷大桁，故未斷，帝大怒，瞋目，左右莫不悚懼。召諸公來，嶠至，不謝，但求酒炙。王導須臾至，徒跣下地，謝曰：「天威在顏，遂使溫嶠不容得謝。」嶠于是下謝，帝乃釋然。諸公共嘆王機悟名言。

6郗司空在北府，桓宣武惡其居兵權。郗于事機素暗，遣牋詣桓，方欲共

世說新語

夙惠第十二

獎王室，修復園陵。世子嘉賓出行，于道上聞信至，急取箋，視竟，寸寸毀裂，便回還更作箋，自陳老病，不堪人間，欲乞閒地自養。宣武得箋大喜，即詔轉公督五郡、會稽太守。

7 王東亭作宣武主簿，嘗春月與石頭兄弟乘馬出郊。時彥同游者，連鑣俱進。唯東亭一人常在前，覺數十步，諸人莫之解。石頭等既疲倦，俄而乘輿回，諸人皆似從官，唯東亭奕奕在前。其悟捷如此。

夙惠第十二

1 賓客詣陳太丘宿，太丘使元方、季方炊。客與太丘論議，二人進火，俱委而竊聽。炊忘著箅，飯落釜中。太丘問：「炊何不餾？」元方、季方長跪曰：「大人與客語，乃俱竊聽，炊忘著箅，飯今成糜。」太丘曰：「爾頗有所識不？」對曰：「仿佛志之。」二子俱說，更相易奪，言無遺失。太丘曰：「如此，但糜自可，何必飯也？」

2 何晏七歲，明惠若神，魏武奇愛之，因晏在宮內，欲以為子。晏乃畫地令方，自處其中。人問其故，答曰：「何氏之廬也。」魏武知之，即遣還。

3 晉明帝數歲，坐元帝膝上。有人從長安來，元帝問洛下消息，潸然流涕。明帝問何以致泣，具以東渡意告之。因問明帝：「汝意謂長安何如日遠？」答曰：「日遠。不聞人從日邊來，居然可知。」元帝異之。明日，集群臣宴會，告以此意，更重問之。乃答曰：「日近。」元帝失色，曰：「爾何故異昨日之言邪？」答曰：「舉目見日，不見長安。」

4 司空顧和與時賢共清言。張玄之、顧敷是中外孫，年并七歲，在床邊戲。于時聞語，神情如不相屬。瞑于燈下，二兒共叙客主之言，都無遺失。顧公越席而提其耳曰：「不意衰宗復生此寶。」

5 韓康伯數歲，家酷貧，至大寒，止得襦，母殷夫人自成之，令康伯捉熨斗，謂康伯曰：「且著襦，尋作複裈。」兒云：「已足，不須複裈也。」母問其故，答曰：「火在熨斗中而柄熱，今既著襦，下亦當暖，故不須耳。」母甚異之，知為國器。

6 晋孝武年十二，時冬天，畫日不著複衣，但著單練衫五六重，夜則累茵褥。謝公諫曰：「聖體宜令有常。陛下畫過冷，夜過熱，恐非攝養之術。」帝曰：「畫動夜静。」謝公出，嘆曰：「上理不減先帝。」

7 桓宣武薨，桓南郡年五歲，服始除，桓車騎與送故文武別，因指與南郡：「此皆汝家故吏佐。」玄應聲慟哭，酸感傍人。車騎每自目己坐曰：「靈寶成人，當以此坐還之。」鞠愛過于所生。

豪爽第十三

1 王大將軍年少時，舊有田舍名，語音亦楚。武帝喚時賢共言伎蓺事，人皆多有所知，唯王都無所關，意色殊惡，自言知打鼓吹。帝令取鼓與之。于坐振袖而起，揚槌奮擊，音節諧捷，神氣豪上，傍若無人。舉坐嘆其雄爽。

2 王處仲世許高尚之目。嘗荒恣于色，體爲之敝，左右諫之，處仲曰：「吾乃不覺爾，如此者其易耳！」乃開後閣，驅諸婢妾數十人出路，任其所之，時人嘆焉。

世説新語

豪爽第十三

六九

3 王大將軍自目高朗疏率，學通《左氏》。

4 王處仲每酒後輒咏『老驥伏櫪，志在千里。烈士暮年，壯心不已』。以如意打唾壺，壺口盡缺。

5 晋明帝欲起池臺，元帝不許。帝時爲太子，好養武士，一夕中作池，今太子西池便是也。

6 王大將軍始欲下都，處分樹置，先遣參軍告朝廷，諷旨時賢。祖車騎尚未鎮壽春，瞋目厲聲語使人曰：「卿語阿黑：何敢不遜！摧攝面去，須臾不爾，我將三千兵槊腳令上！」王聞之而止。

7 庾稺恭既常有中原之志，文康時，權重未在己。及季堅作相，忌兵畏禍，與稺恭歷同异者久之，乃果行。傾荊、漢之力，窮舟車之勢，師次于襄陽。大會參佐，陳其旌甲，親授弧矢曰：「我之此行，若此射矣！」遂三起三叠，徒衆屬目，其氣十倍。

8 桓宣武平蜀，集參僚置酒于李勢殿，巴、蜀縉紳，莫不悉萃。桓既素有

雄情爽氣，加爾日音調英發，敘古今成敗由人，存亡繫才，其狀磊落，一坐嘆

賞。既散，諸人追味餘言。于時尋陽周馥曰：「恨卿輩不見王大將軍。」

9 桓公讀《高士傳》，至于陵仲子，便擲去曰：「誰能作此溪刻自處！」

10 桓石虔，司空豁之長庶也。小字鎮惡。年十七八，未被舉，而童隸已呼

爲鎮惡郎。嘗住宣武齋頭。從征枋頭，車騎沖沒陳，左右莫能先救。宣武謂曰：

「汝叔落賊，汝知不？」石虔聞之，氣甚奮，命朱辟爲副，策馬于萬衆中，莫有

抗者，徑致沖還，三軍嘆服。河朔後以其名斷瘧。

11 陳林道在西岸，都下諸人共要至牛渚會。陳理既佳，人欲共言折。陳

以如意拄頰，望雞籠山嘆曰：「孫伯符志業不遂！」于是竟坐不得談。

12 王司州在謝公坐，咏「入不言兮出不辭，乘回風兮載雲旗」。語人云：

「當爾時，覺一坐無人。」

13 桓玄西下，入石頭。外白：「司馬梁王奔叛。」玄時事形已濟，在平乘

上笳鼓并作，直高咏云：「簫管有遺音，梁王安在哉？」

世說新語

豪爽第十三

七〇

世說新語卷下

容止第十四

1 魏武將見匈奴使，自以形陋，不足雄遠國，使崔季珪代，帝自捉刀立床頭。既畢，令間諜問曰：『魏王何如？』匈奴使答曰：『魏王雅望非常；然床頭捉刀人，此乃英雄也。』魏武聞之，追殺此使。

2 何平叔美姿儀，面至白。魏明帝疑其傅粉，正夏月，與熱湯餅。既噉，大汗出，以朱衣自拭，色轉皎然。

3 魏明帝使后弟毛曾與夏侯玄共坐，時人謂『蒹葭倚玉樹』。

4 時人目夏侯太初『朗朗如日月之入懷』，李安國『頹唐如玉山之將崩』。

5 嵇康身長七尺八寸，風姿特秀。見者嘆曰：『蕭蕭肅肅，爽朗清舉。』或云：『肅肅如松下風，高而徐引。』山公曰：『嵇叔夜之為人也，岩岩若孤松之獨立；其醉也，傀俄若玉山之將崩。』

世說新語

容止第十四

6 裴令公目王安豐『眼爛爛如岩下電』。

7 潘岳妙有姿容，好神情。少時挾彈出洛陽道，婦人遇者，莫不連手共縈之。

8 左太沖絕醜，亦復效岳游遨，于是群嫗齊共亂唾之，委頓而返。

9 潘安仁、夏侯湛并有美容，喜同行，時人謂之『連璧』。

10 裴令公有俊容姿，一旦有疾，至困，惠帝使王夷甫往看。裴方向壁臥，聞王使至，強回視之。王出，語人曰：『雙目閃閃若岩下電，精神挺動，體中故小惡。』

11 有人語王戎曰：『嵇延祖卓卓如野鶴之在雞群。』答曰：『君未見其父耳！』

12 裴令公有俊容儀，脫冠冕，粗服亂頭皆好，時人以為『玉人』。見者曰：『見裴叔則，如玉山上行，光映照人。』

13 劉伶身長六尺，貌甚醜悴，而悠悠忽忽，土木形骸。

世說新語

容止第十四

14 驃騎王武子是衛玠之舅，俊爽有風姿。見玠，輒嘆曰：『珠玉在側，覺我形穢！』

15 有人詣王太尉，遇安豐、大將軍、丞相在坐。往別屋，見季胤、平子。還，語人曰：『今日之行，觸目見琳琅珠玉。』

16 王丞相見衛洗馬，曰：『居然有羸形，雖復終日調暢，若不堪羅綺。』

17 王大將軍稱太尉處眾人中，似珠玉在瓦石間。

18 庾子嵩長不滿七尺，腰帶十圍，頹然自放。

19 衛玠從豫章至下都，人久聞其名，觀者如堵牆。玠先有羸疾，體不堪勞，遂成病而死。時人謂『看殺衛玠』。

20 周伯仁道桓茂倫『嶔崎歷落，可笑人』。或云謝幼輿言。

21 周侯說王長史父：『形貌既偉，雅懷有概，保而用之，可作諸許物也。』

22 祖士少見衛君長云：『此人有旄仗下形。』

23 石頭事故，朝廷傾覆，溫忠武與庾文康投陶公求救。陶公云：『肅祖顧命不見及。且蘇峻作亂，釁由諸庾，誅其兄弟，不足以謝天下。』于時庾在溫船後，聞之，憂怖無計。別日，溫勸庾見陶，庾猶豫未能往。溫曰：『溪狗我所悉，卿但見之，必無憂也。』庾風姿神貌，陶一見便改觀。談宴竟日，愛重頓至。

24 庾太尉在武昌，秋夜氣佳景清，使吏殷浩、王胡之之徒登南樓理詠，音調始遒，聞函道中有屐聲甚厲，定是庾公。俄而率左右十許人步來，諸賢欲起避之。公徐云：『諸君少住，老子于此處興復不淺。』因便據胡床與諸人詠謔，竟坐甚得任樂。後王逸少下，與丞相言及此事，丞相曰：『元規爾時風範不得不小頹。』右軍答曰：『唯丘壑獨存。』

25 王敬豫有美形，問訊王公。王公撫其肩曰：『阿奴，恨才不稱！』又云『敬豫事事似王公。』

26 王右軍見杜弘治，嘆曰：『面如凝脂，眼如點漆，此神仙中人。』時人有稱王長史形者，蔡公曰：『恨諸人不見杜弘治耳！』

27 劉尹道桓公鬢如反猬皮，眉如紫石棱，自是孫仲謀、司馬宣王一流人。

28 王敬倫風姿似父。作侍中，加授桓公服，從大門入。桓公望之曰：「大

奴固自有鳳毛。」

29 林公道王長史：「斂衿作一來，何其軒軒韶舉！」

30 時人目王右軍『飄如游雲，矯如驚龍』。

31 王長史嘗病，親疏不通。林公來，守門人遽啓之曰：「一異人在門，不

敢不啓。」王笑曰：「此必林公。」

32 或以方謝仁祖，不乃重者，桓大司馬曰：「諸君莫輕道仁祖，企腳北窗

下彈琵琶，故自有天際真人想。」

33 王長史為中書郎，往敬和許。爾時積雪，長史從門外下車，步入尚書，

著公服，敬和遙望嘆曰：「此不復似世中人！」

34 簡文作相王時，與謝公共詣桓宣武。王珣先在內，桓語王：「卿嘗欲見

相王，可住帳裏。」二客既去，桓謂王曰：「定何如？」王曰：「相王作輔，自

然湛若神君，公亦萬夫之望。不然，僕射何得自没？」

世說新語

自新第十五

35 海西時，諸公每朝，朝堂猶暗；唯會稽王來，軒軒如朝霞舉。

36 謝車騎道謝公游肆，復無乃高唱，但恭坐捻鼻顧睞，便自有寢處山澤間

儀。

37 謝公云：「見林公雙眼黯黯明黑。」孫興公『見林公棱棱露其爽。」

38 庾長仁與諸弟入吳，欲住亭中宿。諸弟先上，見群小滿屋，都無相避意。

長仁曰：「我試觀之。」乃策杖將一小兒，始入門，諸客望其神姿，一時退匿。

39 有人嘆王恭形茂者，云：「濯濯如春月柳。」

自新第十五

1 周處年少時，凶強俠氣，為鄉里所患。又義興水中有蛟，山中有邅迹虎，

并皆暴犯百姓，義興人謂為『三橫』，而處尤劇。或說處殺虎斬蛟，實冀三橫

唯餘其一。處即刺殺虎，又入水擊蛟，蛟或浮或沒，行數十里，處與之俱。經

三日三夜，鄉里皆謂已死，更相慶。竟殺蛟而出。聞里人相慶，始知為人情所

患，有自改意。乃自吳尋二陸，平原不在，正見清河，具以情告，并云：「欲自

世說新語

修改，而年已蹉跎，終無所成。

且人患志之不立，亦何憂令名不彰邪？」清河曰：「古人貴朝聞夕死，況君前途尚可。

2 戴淵少時游俠，不治行檢，嘗在江、淮間攻掠商旅。陸機赴假還洛，輜重甚盛。淵使少年掠劫，淵在岸上，據胡床指麾左右，皆得其宜。淵既神姿峰穎，雖處鄙事，神氣猶異。機于船屋上遙謂之曰：「卿才如此，亦復作劫邪？」淵便泣涕，投劍歸機，辭厲非常。機彌重之，定交，作筆薦焉。過江，仕至征西將軍。

企羨第十六

1 王丞相拜司空，桓廷尉作兩髻，葛裙，策杖，路邊窺之，嘆曰：「人言阿龍超，阿龍故自超！」不覺至臺門。

2 王丞相過江，自說昔在洛水邊，數與裴成公、阮千里諸賢共談道。羊曼曰：「人久以此許卿，何須復爾？」王曰：「亦不言我須此，但欲爾時不可得耳！」

3 王右軍得人以《蘭亭集序》方《金谷詩序》，又以己敵石崇，甚有欣色。

4 王司州先爲庾公記室參軍，後取殷浩爲長史，始到，庾公欲遣王使下都，王自啓求住曰：「下官希見盛德，淵源始至，猶貪與少日周旋。」

5 郗嘉賓得人以己比苻堅，大喜。

6 孟昶未達時，家在京口。嘗見王恭乘高輿，被鶴氅裘。于時微雪，昶于籬間窺之，嘆曰：「此真神仙中人！」

傷逝第十七

1 王仲宣好驢鳴。既葬，文帝臨其喪，顧語同游曰：「王好驢鳴，可各作一聲以送之。」赴客皆一作驢鳴。

2 王濬沖爲尚書令，著公服，乘軺車，經黃公酒壚下過，顧謂後車客：「吾昔與嵇叔夜、阮嗣宗共酣飲于此壚，竹林之游，亦預其末。自嵇生夭、阮公亡以來，便爲時所羈紲。今日視此雖近，邈若山河。」

3 孫子荊以有才少所推服，唯雅敬王武子。武子喪時，名士無不至者。

世說新語

傷逝第十七

子荊後來，臨尸慟哭，賓客莫不垂涕。哭畢，向靈床曰：『卿常好我作驢鳴，今我爲卿作。』體似真聲，賓客皆笑。孫舉頭曰：『使君輩存，令此人死！』

爲之慟。

此？』王曰：『聖人忘情，最下不及情；情之所鍾，正在我輩。』簡服其言，更

4 王戎喪兒萬子，山簡往省之，王悲不自勝。簡曰：『孩抱中物，何至于

5 有人哭和長輿曰：『峨峨若千丈松崩。』

6 衛洗馬以永嘉六年喪，謝鯤哭之，感動路人。咸和中，丞相王公教曰：『衛洗馬當改葬。此君風流名士，海內所瞻，可修薄祭，以敦舊好。』

7 顧彥先平生好琴，及喪，家人常以琴置靈床上。張季鷹往哭之，不勝其慟，遂徑上床，鼓琴，作數曲，竟，撫琴曰：『顧彥先頗復賞此不？』因又大慟，遂不執孝子手而出。

8 庾亮兒遭蘇峻難遇害。諸葛道明女爲庾兒婦，既寡，將改適，與亮書及之。亮答曰：『賢女尚少，故其宜也。感念亡兒，若在初沒。』

9 庾文康亡，何揚州臨葬，云：『埋玉樹著土中，使人情何能已已！』

10 王長史病篤，寢臥鐙下，轉麈尾視之，嘆曰：『如此人，曾不得四十！』及亡，劉尹臨殯，以犀柄麈尾著柩中，因慟絕。

11 支道林喪法虔之後，精神霣喪，風味轉墜。常謂人曰：『昔匠石廢斤于郢人，牙生輟弦于鍾子，推己外求，良不虛也！冥契既逝，發言莫賞，中心蘊結，余其亡矣！』却後一年，支遂殞。

12 郗嘉賓喪，左右白郗公『郎喪』，既聞不悲，因語左右：『殯時可道。』公往臨殯，一慟幾絕。

13 戴公見林法師墓，曰：『德音未遠，而拱木已積。冀神理綿綿，不與氣運俱盡耳！』

14 王子敬與羊綏善。綏清淳簡貴，爲中書郎，少亡。王深相痛悼，語東亭云：『是國家可惜人！』

15 王東亭與謝公交惡。王在東聞謝喪，便出都，詣子敬，道欲哭謝公。

子敬始臥，聞其言，便驚起曰：『所望于法護。』王于是往哭，督帥刁約不聽前，曰：『官平生在時，不見此客。』王亦不與語，直前，哭甚慟，不執末婢手而退。

16　王子猷、子敬俱病篤，而子敬先亡。子猷問左右：『何以都不聞消息？此已喪矣！』語時了不悲。便索輿來奔喪，都不哭。子敬素好琴，便徑入坐靈床上，取子敬琴彈，弦既不調，擲地云：『子敬！子敬！人琴俱亡。』因慟絕良久，月餘亦卒。

17　孝武山陵夕，王孝伯入臨，告其諸弟曰：『雖榱桷惟新，便自有《黍離》之哀！』

18　羊孚年三十一卒，桓玄與羊欣書曰：『賢從情所信寄，暴疾而殞，祝予之嘆，如何可言！』

19　桓玄當篡位，語卞鞠云：『昔羊子道恒禁吾此意。今腹心喪羊孚，爪牙失索元，而匆匆作此詆突，詎允天心？』

世說新語

栖逸第十八

1　阮步兵嘯聞數百步。蘇門山中，忽有真人，樵伐者咸共傳說。阮籍往觀，見其人擁膝岩側，籍登嶺就之，箕踞相對。籍商略終古，上陳黃、農玄寂之道，下考三代盛德之美以問之，仡然不應。復敘有爲之教、栖神導氣之術以觀之，彼猶如前，凝矚不轉。籍因對之長嘯。良久，乃笑曰：『可更作。』籍復嘯。意盡，退，還半嶺許，聞上嗜然有聲，如數部鼓吹，林谷傳響，顧看，乃向人嘯也。

2　嵇康游于汲郡山中，遇道士孫登，遂與之游。康臨去，登曰：『君才則高矣，保身之道不足。』

3　山公將去選曹，欲舉嵇康，康與書告絕。

4　李廞是茂曾第五子，清貞有遠操，而少羸病，不肯婚宦。居在臨海，住兄侍中墓下。既有高名，王丞相欲招禮之，故辟爲府掾。廞得箋命，笑曰：『茂弘乃復以一爵假人！』

世說新語

栖逸第十八

七七

5 何驃騎弟以高情避世，而驃騎勸之令仕，答曰：『予第五之名，何必減驃騎！』

6 阮光禄在東山，蕭然無事，常内足于懷。有人以問王右軍，右軍曰：『此君近不驚寵辱，遂古之沈冥，何以過此！』

7 孔車騎少有嘉遁意，年四十餘，始應安東命。未仕宦時，常獨寢歌吹自箴誨。自稱孔郎，游散名山。

8 南陽劉驎之，高率善史傳，隱于陽岐。于時苻堅臨江，荊州刺史桓沖將盡訏謨之益，徵為長史，遣人船往迎，贈貺甚厚。驎之聞命，便升舟，悉不受，所餉緣道以乞窮乏，比至上明亦盡。一見沖，因陳無用，翛然而退。居陽岐積年，衣食有無，常與村人共。值己匱乏，村人亦如之。甚厚為鄉間所安。

9 南陽翟道淵與汝南周子南少相友，共隱于尋陽。庾太尉說周以當世之務，周遂仕。翟秉志彌固。其後周詣翟，翟不與語。

10 孟萬年及弟少孤，居武昌陽新縣。萬年游宦，有盛名當世，少孤未嘗出京邑，人士思欲見之，乃遣信報少孤，云『兄病篤』。狼狽至都，時賢見之者，莫不嗟重。因相謂曰：『少孤如此，萬年可死。』

11 康僧淵在豫章，去郭數十里立精舍，旁連嶺，帶長川，芳林列于軒庭，清流激于堂宇。乃閑居研講，希心理味。庾公諸人多往看之。觀其運用吐納，風流轉佳，加已處之怡然，亦有以自得，聲名乃興。後不堪，遂出。

12 戴安道既厲操東山，而其兄欲建式遏之功。謝太傅曰：『卿兄弟志業，何其太殊？』戴曰：『下官「不堪其憂」，家弟「不改其樂」』。

13 許玄度隱在永興南幽穴中，每致四方諸侯之遺。或謂許曰：『嘗聞箕山人似不爾耳！』許曰：『筐篚苞苴，故當輕于天下之寶耳！』

14 范宣未嘗入公門，韓康伯與同載，遂誘俱入郡，范便于車後趨下。

15 郗超每聞欲高尚隱退者，輒為辦百萬資，并為造立居宇。在剡，為戴公起宅，甚精整。戴始往舊居，與所親書曰：『近至剡，如官舍。』郗為傅約亦辦百萬資，傅隱事差互，故不果遺。

具。」

16 許掾好游山水，而體便登陟。時人云：「許非徒有勝情，實有濟勝之具。」

17 郗尚書與謝居士善，常稱謝慶緒識見雖不絕人，可以累心處都盡。

世説新語

賢媛第十九

賢媛第十九

1 陳嬰者，東陽人。少修德行，著稱鄉黨。秦末大亂，東陽人欲奉嬰為主，母曰：「不可！自我為汝家婦，少見貧賤，一旦富貴，不祥！不如以兵屬人，事成，少受其利；不成，禍有所歸。」

2 漢元帝宮人既多，乃令畫工圖之，欲有呼者，輒披圖召之。其中常者，皆行貨賂。王明君姿容甚麗，志不苟求，工遂毀為其狀。後匈奴來和，求美女于漢帝，帝以明君充行。既召見而惜之，但名字已去，不欲中改，於是遂行。

3 漢成帝幸趙飛燕，飛燕讒班婕妤祝詛，於是考問，辭曰：「妾聞死生有命，富貴在天。修善尚不蒙福，為邪欲以何望？若鬼神有知，不受邪佞之訴；若其無知，訴之何益？故不為也。」

4 魏武帝崩，文帝悉取武帝宮人自侍。及帝病困，卞后出看疾。太后入戶，見直侍并是昔日所愛幸者。太后問：「何時來邪？」云：「正伏魄時過。」因不復前而嘆曰：「狗鼠不食汝餘，死故應爾！」至山陵，亦竟不臨。

5 趙母嫁女，女臨去，敕之曰：「慎勿為好！」女曰：「不為好，可為惡邪？」母曰：「好尚不可為，其況惡乎！」

6 許允婦是阮衛尉女，德如妹，奇醜。交禮竟，允無復入理，家人深以為憂。會允有客至，婦令婢視之，還，答曰：「是桓郎。」桓郎者，桓範也。婦云：「無憂，桓必勸入。」桓果語許云：「阮家既嫁醜女與卿，故當有意，卿宜察之。」許便回入內。既見婦，即欲出。婦料其此出無復入理，便捉裾停之。許因謂曰：「婦有四德，卿有其幾？」婦曰：「新婦所乏唯容爾。然士有百行，君有幾？」許云：「皆備。」婦曰：「夫百行以德為首，君好色不好德，何謂皆備？」允有慚色，遂相敬重。

7 許允為吏部郎，多用其鄉里，魏明帝遣虎賁收之。其婦出誠允曰：「明

世説新語

賢媛第十九

主可以理奪，難以情求。」既至，帝覈問之，允對曰：「『舉爾所知』，臣之鄉人，

臣所知也。陛下檢校，為稱職與不？如不稱職，臣受其罪。」既檢校，皆官得

其人，于是乃釋。允衣服敗壞，詔賜新衣。初，允被收，舉家號哭。阮新婦自

若云：「勿憂，尋還。」作粟粥待。傾之，允至。

8 許允為晉景王所誅，門生走入告其婦。婦正在機中，神色不變，曰：「蚤

知爾耳！」門人欲藏其兒，婦曰：「無豫諸兒事。」後徙居墓所，景王遣鍾會看

之，若才流及父，當收。兒以咨母，母曰：「汝等雖佳，才具不多，率胸懷與語，

便無所憂。不須極哀，會止便止。又可少問朝事。」兒從之。會反以狀對，卒免。

9 王公淵娶諸葛誕女。入室，言語始交，王謂婦曰：「新婦神色卑下，殊

不似公休！」婦曰：「大丈夫不能仿佛彥雲，而令婦人比踪英杰！」

10 王經少貧苦，仕至二千石，母語之曰：「汝本寒家子，仕至二千石，此可

以止乎！」經不能用。為尚書，助魏，不忠于晉，被收，涕泣辭母曰：「不從母

敕，以至今日！」母都無慽容，語之曰：「為子則孝，為臣則忠。有孝有忠，何

負吾邪？」

11 山公與嵇、阮一面，契若金蘭。山妻韓氏，覺公與二人異于常交，問公，

公曰：「我當年可以為友者，唯此二生耳！」妻曰：「負羈之妻亦親觀狐、趙，

意欲窺之，可乎？」他日，二人來，妻勸公止之宿，具酒肉。夜穿墉以視之，達

旦忘反。公入曰：「二人何如？」妻曰：「君才致殊不如，正當以識度相友耳。」

公曰：「伊輩亦常以我度為勝。」

12 王渾妻鍾氏生女令淑，武子為妹求簡美對而未得，有兵家子有俊才，欲

以妹妻之，乃白母。曰：「誠是才者，其地可遺，然要令我見。」武子乃令兵兒

與群小雜處，使母帷中察之。既而，母謂武子曰：「如此衣形者，是汝所擬者

非邪？」武子曰：「是也。」母曰：「此才足以拔萃，然地寒，不有長年，不得

申其才用。觀其形骨，必不壽，不可與婚。」武子從之。兵兒數年果亡。

13 賈充前婦，是李豐女。豐被誅，離婚徙邊。後遇赦得還，充先已取郭

配女，武帝特聽置左右夫人。李氏別住外，不肯還充舍。郭氏語充，欲就省

世說新語

賢媛第十九

李，充曰：「彼剛介有才氣，卿往不如不去。」郭氏于是盛威儀，多將侍婢既至，入戶，李氏起迎，郭不覺腳自屈，因跪再拜。既反，語充。充曰：「語卿道何物？」

14 賈充妻李氏作《女訓》行于世。李氏女，齊獻王妃；郭氏女，惠帝后。充卒，李、郭女各欲令其母合葬，經年不決。賈后廢，李氏乃祔葬，遂定。

15 王汝南少無婚，自求郝普女。司空以其癡，會無婚處，任其意，便許之。既婚，果有令姿淑德。生東海，遂為王氏母儀。或問汝南：「何以知之？」曰：「嘗見井上取水，舉動容止不失常，未嘗忤觀。以此知之。」

16 王司徒婦，鍾氏女，太傅曾孫，亦有俊才女德。鍾、郝為娣姒，雅相親重。鍾不以貴陵郝，郝亦不以賤下鍾。東海家內則郝夫人之法，京陵家內範鍾夫人之禮。

17 李平陽，秦州子，中夏名士，于時以比王夷甫。孫秀初欲立威權，咸云：「樂令民望，不可殺，減李重者又不足殺。」遂逼重自裁。初，重在家，有人走從門入，出髻中疏示重，重看之色動。入內示其女，女直叫『絕』。了其意，出則自裁。此女甚高明，重每咨焉。

18 周浚作安東時，行獵，值暴雨，過汝南李氏。李氏富足，而男子不在。有女名絡秀，聞外有貴人，與一婢于內宰豬羊，作數十人飲食，事事精辦，不聞有人聲。密覘之，獨見一女子，狀貌非常，浚因求為妾。父兄不許。絡秀曰：「門戶殄瘁，何惜一女？若連姻貴族，將來或大益。」父兄從之。遂生伯仁兄弟。絡秀語伯仁等：「我所以屈節為汝家作妾，門戶計耳！汝若不與吾家作親親者，吾亦不惜餘年！」伯仁等悉從命。由此李氏在世得方幅齒遇。

19 陶公少有大志，家酷貧，與母湛氏同居。同郡范逵素知名，舉孝廉，投侃宿。于時冰雪積日，侃室如懸磬，而逵馬僕甚多。侃母湛氏語侃曰：「汝但出外留客，吾自為計。」湛頭髮委地，下為二髲，賣得數斛米，斫諸屋柱，悉割半為薪，剉諸薦以為馬草。日夕，遂設精食，從者皆無所乏。逵既嘆其才辯，又深愧其厚意。明旦去，侃追送不已，且百里許。逵曰：「路已遠，君宜還。」

世説新語

賢媛第十九

八一

侃猶不返。逵曰：『卿可去矣！至洛陽，當相爲美談。』侃乃返。逵及洛，遂稱之于羊晫、顧榮諸人，大獲美譽。

20 陶公少時作魚梁吏，嘗以坩鮓餉母。母封鮓付使，反書責侃曰：『汝爲吏，以官物見餉，非唯不益，乃增吾憂也。』

21 桓宣武平蜀，以李勢妹爲妾，甚有寵，常著齋後。主始不知，既聞，與數十婢拔白刃襲之。正值李梳頭，髮委藉地，膚色玉曜，不爲動容。徐曰：『國破家亡，無心至此。今日若能見殺，乃是本懷。』主慚而退。

22 庾玉臺，希之弟也。玉臺子婦，宣武弟桓豁女也，徒跣求進，閽禁不內，女屬聲曰：『是何小人？我伯父門，不聽我前！』因突入，號泣請曰：『庾玉臺常因人，脚短三寸，當復能作賊不？』宣武笑曰：『婿故自急。』遂原玉臺一門。

23 謝公夫人幃諸婢，使在前作伎，使太傅暫見便下幃。太傅索更開，夫人云：『恐傷盛德。』

24 桓車騎不好著新衣，浴後，婦故送新衣與。車騎大怒，摧使持去。婦更持還，傳語云：『衣不經新，何由而故？』桓公大笑，著之。

25 王右軍郗夫人謂二弟司空、中郎曰：『王家見二謝，傾筐倒庋；見汝輩來，平平爾。汝可無煩復往。』

26 王凝之謝夫人既往王氏，大薄凝之。既還謝家，意大不說。太傅慰釋之曰：『王郎，逸少之子，人材亦不惡，汝何以恨乃爾？』答曰：『一門叔父，則有阿大、中郎；群從兄弟，則有封、胡、遏、末。不意天壤之中，乃有王郎！』

27 韓康伯母，隱古几毀壞。卜鞞見几惡，欲易之。答曰：『我若不隱此，汝何以得見古物？』

28 王江州夫人語謝遏曰：『汝何以都不復進？爲是塵務經心，天分有限？』

29 郗嘉賓喪，婦兄弟欲迎妹還，終不肯歸，曰：『生縱不得與郗郎同室，死寧不同穴？』

30 謝遏絕重其姊，張玄常稱其妹，欲以敵之。有濟尼者，并游張、謝二家。人問其優劣，答曰：「王夫人神情散朗，故有林下風氣。顧家婦清心玉映，自是閨房之秀。」

31 王尚書惠嘗看王右軍夫人，問：「眼耳未覺惡不？」答曰：「髮白齒落，屬乎形骸；至于眼耳，關于神明，那可便與人隔！」

32 韓康伯母殷，隨孫繪之之衡陽，于闊廬洲中逢桓南郡。卞鞠是其外孫，時來問訊。謂鞠曰：「我不死，見此豎二世作賊！」在衡陽數年，繪之遇桓景真之難也，殷撫尸哭曰：「汝父昔罷豫章，徵書朝至夕發。汝去郡邑數年，為物不得動，遂及于難，夫復何言？」

世說新語

術解第二十

術解第二十

1 荀勖善解音聲，時論謂之『暗解』。遂調律呂，正雅樂。每至正會，殿庭作樂，自調宮商，無不諧韵。阮咸妙賞，時謂『神解』。每公會作樂，而心謂之不調。既無一言直勖，意忌之，遂出阮為始平太守。後有一田父耕于野，得周時玉尺，便是天下正尺。荀試以校己所治鐘鼓、金石、絲竹，皆覺短一黍，于是伏阮神識。

2 荀勖嘗在晉武帝坐上食笋進飯，謂在坐人曰：「此是勞薪炊也。」坐者未之信，密遣問之，實用故車脚。

3 人有相羊祜父墓，後應出受命君。祜惡其言，遂掘斷墓後以壞其勢。相者立視之，曰：「猶應出折臂三公。」俄而祜墜馬折臂，位果至公。

4 王武子善解馬性。嘗乘一馬，著連錢障泥，前有水，終日不肯渡。王云：『此必是惜障泥。』使人解去，便徑渡。

5 陳述為大將軍掾，甚見愛重。及亡，郭璞往哭之，甚哀，乃呼曰：『嗣祖，焉知非福！』俄而大將軍作亂，如其所言。

6 晉明帝解占冢宅，聞郭璞為人葬，帝微服往看，因問主人：『何以葬龍角？此法當滅族！』主人曰：『郭云：「此葬龍耳，不出三年，當致天子。」』帝問：『為是出天子邪？』答曰：『非出天子，能致天子問耳。』

7郭景純過江，居于暨陽，墓去水不盈百步，時人以爲近水。景純曰：『將當爲陸。』今沙漲，去墓數十里皆爲桑田。其詩曰：『北阜烈烈，巨海混混，壘壘三墳，唯母與昆。』

8王丞相令郭璞試作一卦。卦成，郭意色甚惡，云：『公有震厄！』王問：『有可消伏理不？』郭曰：『命駕西出數里，得一柏樹，截斷如公長，置床上常寢處，災可消矣。』王從其語。數日中，果震柏粉碎。子弟皆稱慶。大將軍云：『君乃復委罪于樹木。』

9桓公有主簿善別酒，有酒輒令先嘗。好者謂『青州從事』，惡者謂『平原督郵』。青州有齊郡，平原有鬲縣。『從事』言到臍，『督郵』言在鬲上住。

10郗愔信道甚精勤，常患腹內惡，諸醫不可療，聞于法開有名，往迎之。既來便脉，云：『君侯所患，正是精進太過所致耳。』合一劑湯與之。一服即大下，去數段許紙，如拳大，剖看，乃先所服符也。

11殷中軍妙解經脉，中年都廢。有常所給使，忽叩頭流血。浩問其故，云：『有死事，終不可說。』詰問良久，乃云：『小人母年垂百歲，抱疾來久，若蒙官一脉，便有活理，訖就屠戮無恨。』浩感其至性，遂令舁來，爲診脉處方。始服一劑湯便愈。于是悉焚經方。

世說新語

巧藝第二十一

八三

巧藝第二十一

1彈棋始自魏宮內，用妝奩戲。文帝于此戲特妙，用手巾角拂之，無不中。有客自云能，帝使爲之。客著葛巾角，低頭拂棋，妙逾于帝。

2陵雲臺樓觀精巧，先稱平衆木輕重，然後造構，乃無錙銖相負揭。臺雖高峻，常隨風搖動，而終無傾倒之理。魏明帝登臺，懼其勢危，別以大材扶持之，樓即頹壞。論者謂輕重力偏故也。

3韋仲將能書。魏明帝起殿，欲安榜，使仲將登梯題之。既下，頭鬢皓然，因敕兒孫勿復學書。

4鍾會是荀濟北從舅，二人情好不協。荀有寶劍，可直百萬，常在母鍾夫人許。會善書，學荀手迹，作書與母取劍，仍竊去不還。荀勛知是鍾而無

世説新語

由得也，思所以報之。後鍾兄弟以千萬起一宅，始成，甚精麗，未得移住。

荀極善畫，乃潛往畫鍾門堂作太傅形象，衣冠狀貌如平生。二鍾入門，便大

感慟，宅遂空廢。

5 羊長和博學工書，能騎射，善圍棋。諸羊後多知書，而射、奕餘藝莫逮。

6 戴安道就范宣學，視范所爲：范讀書亦讀書，范鈔書亦鈔書。唯獨好

畫，范以爲無用，不宜勞思于此。戴乃畫《南都賦圖》，范看畢咨嗟，甚以爲有

益，始重畫。

7 謝太傅云：「顧長康畫，有蒼生來所無。」

8 戴安道中年畫行像甚精妙。庾道季看之，語戴云：「神明太俗，由卿世

情未盡。」戴云：「唯務光當免卿此語耳。」

9 顧長康畫裴叔則，頰上益三毛。人問其故，顧曰：「裴楷俊朗有識具，

正此是其識具。」看畫者尋之，定覺益三毛如有神明，殊勝未安時。

10 王中郎以圍棋是坐隱，支公以圍棋爲手談。

寵禮第二十二

八四

11 顧長康好寫起人形，欲圖殷荊州，殷曰：「我形惡，不煩耳。」顧曰：「明

府正爲眼爾。但明點童子，飛白拂其上，使如輕雲之蔽日。」

12 顧長康畫謝幼輿在岩石裏。人問其所以，顧曰：「謝云：『一丘一壑，

自謂過之。』此子宜置丘壑中。」

13 顧長康畫人，或數年不點目精。人問其故，顧曰：「四體妍蚩，本無關

于妙處；傳神寫照，正在阿堵中。」

14 顧長康道畫『手揮五弦』易，『目送歸鴻』難。

寵禮第二十二

1 元帝正會，引王丞相登御床，王公固辭，中宗引之彌苦。王公曰：「使

太陽與萬物同暉，臣下何以瞻仰？」

2 桓宣武嘗與參佐入宿，袁宏、伏滔相次而至。蒞名，府中復有袁參軍，

彥伯疑焉，令傳教更質。傳教曰：「參軍是袁、伏之袁，復何所疑？」

3 王珣、郗超并有奇才，爲大司馬所眷拔。超爲記室參軍，珣爲主簿，超

世說新語

為人多髯，珣狀短小。于時荊州為之語曰：『髯參軍，短主簿，能令公喜，能令公怒。』

4 許玄度停都一月，劉尹無日不往，乃嘆曰：『卿復少時不去，我成輕薄京尹！』

5 孝武在西堂會，伏滔預坐。還，下車呼其兒，語之曰：『百人高會，臨坐未得他語，先問：「伏滔何在？在此不？」此故未易得。為人作父如此，何如？』

6 卞範之為丹陽尹。羊孚南州暫還，往卞許，云：『下官疾動，不堪坐。』卞便開帳拂褥，羊徑上大床，入被須枕。卞回坐傾睞，移晨達莫。羊去，卞語曰：『我以第一理期卿，卿莫負我。』

任誕第二十三

1 陳留阮籍、譙國嵇康、河內山濤三人年皆相比，康年少亞之。預此契者：沛國劉伶、陳留阮咸、河內向秀、琅邪王戎。七人常集于竹林之下，肆意酣暢，故世謂『竹林七賢』。

2 阮籍遭母喪，在晉文王坐進酒肉。司隸何曾亦在坐，曰：『明公方以孝治天下，而阮籍以重喪顯于公坐飲酒食肉，宜流之海外，以正風教。』文王曰：『嗣宗毀頓如此，君不能共憂之，何謂？且有疾而飲酒食肉，固喪禮也！』籍飲啖不輟，神色自若。

3 劉伶病酒，渴甚，從婦求酒。婦捐酒毀器，涕泣諫曰：『君飲太過，非攝生之道，必宜斷之！』伶曰：『甚善。我不能自禁，唯當祝鬼神，自誓斷之耳！便可具酒肉。』婦曰：『敬聞命。』供酒肉于神前，請伶祝誓。伶跪而祝曰：『天生劉伶，以酒為名，一飲一斛，五斗解酲。婦人之言，慎不可聽！』便引酒進肉，隗然已醉矣。

4 劉公榮與人飲酒，雜穢非類。人或譏之，答曰：『勝公榮者，不可不與飲；不如公榮者，亦不可不與飲；是公榮輩者，又不可不與飲。故終日共飲而醉。』

世説新語

任誕第二十三

八六

5 步兵校尉缺，廚中有貯酒數百斛，阮籍乃求爲步兵校尉。

6 劉伶恒縱酒放達，或脫衣裸形在屋中。人見譏之，伶曰：「我以天地爲棟宇，屋室爲褌衣，諸君何爲入我褌中？」

7 阮籍嫂嘗還家，籍見與別。或譏之，籍曰：「禮豈爲我輩設也？」

8 阮公鄰家婦有美色，當壚酤酒。阮與王安豐常從婦飲酒。阮醉，便眠其婦側。夫始殊疑之，伺察，終無他意。

9 阮籍當葬母，蒸一肥豚，飲酒二斗，然後臨訣，直言：「窮矣！」都得一號，因吐血，廢頓良久。

10 阮仲容、步兵居道南，諸阮居道北。北阮皆富，南阮貧。七月七日，北阮盛曬衣，皆紗羅錦綺。仲容以竿挂大布犢鼻褌于中庭。人或怪之，答曰：「未能免俗，聊復爾耳！」

11 阮步兵喪母，裴令公往吊之。阮方醉，散髮坐床，箕踞不哭。裴至，下席于地，哭，吊唁畢便去。或問裴：「凡吊，主人哭，客乃爲禮。阮既不哭，君何爲哭？」裴曰：「阮方外之人，故不崇禮制。我輩俗中人，故以儀軌自居。」時人歎爲兩得其中。

12 諸阮皆能飲酒，仲容至宗人間共集，不復用常杯斟酌，以大瓮盛酒，坐相向大酌。時有群豬來飲，直接去上，便共飲之。

13 阮渾長成，風氣韵度似父，亦欲作達。步兵曰：「仲容已預之，卿不得復爾。」

14 裴成公婦，王戎女。王戎晨往裴許，不通徑前。裴從床南下，女從北下，相對作賓主，了無異色。

15 阮仲容先幸姑家鮮卑婢。及居母喪，姑當遠移，初云當留婢，既發，定將去。仲容借客驢著重服自追之，累騎而返，曰：「人種不可失！」即遙集之母也。

16 任愷既失權勢，不復自檢括。或謂和嶠曰：「卿何以坐視元裒敗而不救？」和曰：「元裒如北夏門，拉攞自欲壞，非一木所能支。」

世說新語

任誕第二十三

17 劉道真少時，常漁草澤，善歌嘯，聞者莫不留連。有一老嫗，識其非常人，甚樂其歌嘯，乃殺豚進之。道真食豚盡，了不謝。後為吏部郎，嫗兒為小令史，道真超用之。不知所由，問母，母告之。于是齎牛酒詣道真，道真曰：「去！去！無可復用相報。」

18 阮宣子常步行，以百錢挂杖頭，至酒店，便獨酣暢。雖當世貴盛，不肯詣也。

19 山季倫為荊州，時出酣暢，人為之歌曰：「山公時一醉，徑造高陽池。日莫倒載歸，茗芋無所知。復能乘駿馬，倒著白接籬，舉手問葛彊，何如并州兒？」高陽池在襄陽。彊是其愛將，并州人也。

20 張季鷹縱任不拘，時人號為「江東步兵」。或謂之曰：「卿乃可縱適一時，獨不為身後名邪？」答曰：「使我有身後名，不如即時一杯酒！」

21 畢茂世云：「一手持蟹螯，一手持酒杯，拍浮酒池中，便足了一生。」

22 賀司空入洛赴命，為太孫舍人，經吳閶門，在船中彈琴。張季鷹本不相識，先在金閶亭，聞弦甚清，下船就賀，因共語，便大相知說。問賀：「卿何之？」賀曰：「入洛赴命，正爾進路。」張曰：「吾亦有事北京，因路寄載。」便與賀同發。初不告家，家追問乃知。

23 祖車騎過江時，公私儉薄，無好服玩。王、庾諸公共就祖，忽見裘袍重叠，珍飾盈列。諸公怪問之，祖曰：「昨夜復南塘一出。」祖于時恒自使健兒鼓行劫鈔，在事之人亦容而不問。

24 鴻臚卿孔羣好飲酒，王丞相語云：「卿何為恒飲酒？不見酒家覆瓿布，日月糜爛？」羣曰：「不爾不見糟肉乃更堪久？」羣嘗書與親舊：「今年田得七百斛秫米，不了麴糵事。」

25 有人譏周僕射與親友言戲，穢雜無檢節。周曰：「吾若萬里長江，何能不千里一曲！」

26 溫太真位未高時，屢與揚州、淮中估客樗蒲，與輒不競。嘗一過大輸物，戲屈，無因得反。與庾亮善，于舫中大喚亮曰：「卿可贖我！」庾即送直，然

世說新語

任誕第二十三

後得還。經此數四。

27 溫公喜慢語，卞令禮法自居。至庾公許，大相剖擊，溫發口鄙穢，庾公徐曰：『太真終日無鄙言。』

28 周伯仁風德雅重，深達危亂。過江積年，恒大飲酒。嘗經三日不醒，時人謂之『三日僕射』。

29 衛君長爲溫公長史，溫公甚善之。每率爾提酒脯就衛，箕踞相對彌日。衛往溫許亦爾。

30 蘇峻亂，諸庾逃散。庾冰時爲吳郡，單身奔亡。民吏皆去，唯郡卒獨以小船載冰出錢塘口，篛篨覆之。時峻賞募覓冰，屬所在搜檢甚急。卒捨船市渚，因飲酒醉，還，舞棹向船曰：『何處覓庾吳郡，此中便是！』冰大惶怖，然不敢動。監司見船小裝狹，謂卒狂醉，都不復疑。自送過淛江，寄山陰魏家，得免。後事平，冰欲報卒，適其所願。卒曰：『出自廝下，不願名器。少苦執鞭，恒患不得快飲酒。使其酒足餘年，畢矣。無所復須。』冰爲起大舍，市奴婢，使門內有百斛酒，終其身。時謂此卒非唯有智，且亦達生。

31 殷洪喬作豫章郡，臨去，都下人因附百許函書。既至石頭，悉擲水中，因祝曰：『沈者自沈，浮者自浮，殷洪喬不能作致書郵。』

32 王長史、謝仁祖同爲王公掾。長史云：『謝掾能作異舞。』謝便起舞，神意甚暇。王公熟視，謂客曰：『使人思安豐。』

33 王、劉共在杭南，酣宴于桓子野家。謝鎮西往尚書墓還，葬後三日反哭。諸人欲要之，初遣一信，猶未許，然已停車。重要，便回駕。諸人門外迎之，把臂便下。裁得脫幘，著帽酣宴。半坐，乃覺未脫衰。

34 桓宣武少家貧，戲大輸，債主敦求甚切，思自振之方，莫知所出。陳郡袁就俊邁多能，宣武欲求救于就。就時居艱，恐致疑，試以告焉，應聲便許，略無嫌吝。遂變服，懷布帽，隨溫去與債主戲。就素有藝名，債主就局曰：『汝故當不辦作袁彥道邪？』遂共戲。十萬一擲，直上百萬數，投馬絕叫，傍若無人，探布帽擲對人曰：『汝竟識袁彥道不？』

世説新語

任誕第二十三

35 王光禄云：『酒，正使人人自遠。』

36 劉尹云：『孫承公狂士，每至一處，賞玩累日，或回至半路却返。』

37 袁彥道有二妹：一適殷淵源，一適謝仁祖。語桓宣武云：『恨不更有一人配卿！』

38 桓車騎在荊州，張玄爲侍中，使至江陵，路經陽歧村。俄見一人，持半小籠生魚，徑來造船，云：『有魚，欲寄作膾。』張乃維舟而納之，問其姓字，稱是劉遺民。張素聞其名，大相忻待。劉既知張銜命，問：『謝安、王文度并佳不？』張甚欲話言，劉了無停意。既進膾，便去，云：『向得此魚，觀君船上當有膾具，是故來耳。』于是便去。張乃追至劉家，爲設酒，殊不清旨。張高其人，不得已而飲之。方共對飲，劉便先起，云：『今正伐荻，不宜久廢。』張亦無以留之。

39 王子猷詣郗雍州，雍州在内，見有氍毹，云：『阿乞那得有此物？』令左右送還家。郗出見之，王曰：『向有大力者負之而趨。』郗無忤色。

40 謝安始出西戲，失車牛，便杖策步歸。道逢劉尹，語曰：『安石將無傷？』謝乃同載而歸。

41 襄陽羅友有大韵，少時多謂之痴。嘗伺人祠，欲乞食，往太蚤，門未開。主人迎神出見，問以非時何得在此，答曰：『聞卿祠，欲乞一頓食耳。』遂隱門側。至曉得食便退，了無怍容。後爲桓宣武平蜀，按行蜀城闕觀宇，內外道陌廣狹，植種果竹多少，皆默記之。後宣武漂洲與簡文集，友亦預焉。共道蜀中事，亦有所遺忘，友皆名列，曾無錯漏。宣武驗以蜀城闕簿，皆如其言。坐者嘆服。謝公云：『羅友詎減魏陽元！』後爲廣州刺史，刺史桓豁語令莫來宿，答曰：『民已有前期。主人貧，或有酒饌之費，見與甚有舊，請別日奉命。』征西密遣人察之，至日，乃往荊州門下書佐家，處之怡然，不異勝達。在益州，語兒云：『我有五百人食器。』家中大驚，其由來清，而忽有此物，定是二百五十沓烏樏。

42 桓子野每聞清歌，輒喚『奈何』，謝公聞之，曰：『子野可謂一往有深

情。』

43 張湛好于齋前種松柏。時袁山松出游，每好令左右作挽歌。時人謂『張
屋下陳尸，袁道上行殯』。

44 羅友作荊州從事，桓宣武爲王車騎集別，友進，坐良久，辭出，宣武曰：
『卿向欲咨事，何以便去？』答曰：『友聞白羊肉美，一生未曾得吃，故冒求前
耳，無事可咨。今已飽，不復須駐。』了無慚色。

45 張驎酒後，挽歌甚淒苦，桓車騎曰：『卿非田橫門人，何乃頓爾至致？』

46 王子猷嘗暫寄人空宅住，便令種竹。或問：『暫住何煩爾？』王嘯詠良
久，直指竹曰：『何可一日無此君！』

47 王子猷居山陰，夜大雪，眠覺，開室命酌酒，四望皎然。因起彷徨，咏左
思《招隱詩》，忽憶戴安道，時戴在剡，即便夜乘小船就之。經宿方至，造門不
前而返。人問其故，王曰：『吾本乘興而行，興盡而返，何必見戴？』

48 王衛軍云：『酒正自引人著勝地。』

世説新語

任誕第二十三

九〇

49 王子猷出都，尚在渚下。舊聞桓子野善吹笛，而不相識。遇桓于岸上
過，王在船中，客有識之者，云是桓子野，王便令人與相聞，云：『聞君善吹笛，
試爲我一奏。』桓時已貴顯，素聞王名，即便回下車，踞胡床，爲作三調。弄畢，
便上車去。客主不交一言。

50 桓南郡被召作太子洗馬，船泊荻渚。王大服散後已小醉，往看桓。桓
爲設酒，不能冷飲，頻語左右令『溫酒來』，桓乃流涕嗚咽，王便欲去，桓以手巾
掩泪，因謂王曰：『犯我家諱，何預卿事！』王嘆曰：『靈寶故自達。』

51 王孝伯問王大：『阮籍何如司馬相如？』王大曰：『阮籍胸中壘塊，故
須酒澆之。』

52 王佛大嘆言：『三日不飲酒，覺形神不復相親。』

53 王孝伯言：『名士不必須奇才，但使常得無事，痛飲酒，熟讀《離騷》，
便可稱名士。』

54 王長史登茅山，大慟哭曰：『琅邪王伯輿，終當爲情死！』

簡傲第二十四

自若。

1　晋文王功德盛大，坐席嚴敬，擬于王者。唯阮籍在坐，箕踞嘯歌，酣放自若。

2　王戎弱冠詣阮籍，時劉公榮在坐。阮謂王曰：『偶有二斗美酒，當與君共飲，彼公榮者無預焉。』二人交觴酬酢，公榮遂不得一杯，而言語談戲，三人無異。或有問之者，阮答曰：『勝公榮者，不可不與飲酒；不如公榮者，不可不與飲酒；唯公榮，可不與飲酒。』

3　鍾士季精有才理，先不識嵇康。鍾要于時賢俊之士，俱往尋康。康方大樹下鍛，向子期爲佐鼓排。康揚槌不輟，傍若無人，移時不交一言。鍾起去，康曰：『何所聞而來？何所見而去？』鍾曰：『聞所聞而來，見所見而去。』

4　嵇康與呂安善，每一相思，千里命駕。安後來，值康不在，喜出戶延之，不入，題門上作『鳳』字而去。喜不覺，猶以爲欣，故作。『鳳』字，凡鳥也。

5　陸士衡初入洛，咨張公所宜詣，劉道真是其一。陸既往，劉尚在哀制中。

世説新語

簡傲第二十四

性嗜酒，禮畢，初無他言，唯問：『東吳有長柄壺盧，卿得種來不？』陸兄弟殊失望，乃悔往。

6　王平子出爲荆州，王太尉及時賢送者傾路。時庭中有大樹，上有鵲巢。平子脱衣巾，徑上樹取鵲子。涼衣拘閡樹枝，便復脱去。得鵲子還，下弄，神色自若，傍若無人。

7　高坐道人于丞相坐，恒偃卧其側。見卞令，肅然改容云：『彼是禮法人。』

8　桓宣武作徐州，時謝奕爲晋陵。先粗經虚懷，而乃無異常。及桓還荆州，將西之間，意氣甚篤，奕弗之疑。唯謝虎子婦王悟其旨。每曰：『桓荆州用意殊異，必與晋陵俱西矣！』俄而引奕爲司馬。奕既上，猶推布衣交。在温坐，岸幘嘯咏，無異常日。宣武每曰：『我方外司馬。』遂因酒轉無朝夕禮，桓舍入内，奕輒復隨去。後至奕醉，温往主許避之。主曰：『君無狂司馬，我何由得相見？』

世說新語

簡傲第二十四

9 謝萬在兄前，欲起索便器。于時阮思曠在坐，曰：『新出門戶，篤而無禮。』

10 謝中郎是王藍田女婿。嘗著白綸巾，肩輿徑至揚州聽事，見王，直言曰：『人言君侯痴，君侯信自痴。』藍田曰：『非無此論，但晚令耳。』

11 王子猷作桓車騎騎兵參軍，桓問曰：『卿何署？』答曰：『不知何署，時見牽馬來，似是馬曹。』桓又問：『官有幾馬？』答曰：『不問馬』，何由知其數？』又問：『馬比死多少？』答曰：『未知生，焉知死？』

12 謝公嘗與謝萬共出西，過吳郡，阿萬欲相與共萃王恬許，太傅云：『恐伊不必酬汝，意不足爾！』萬猶苦要，太傅堅不回，萬乃獨往。坐少時，王便入門內，謝殊有欣色，以為厚待己。良久，乃沐頭散髮而出，亦不坐，仍據胡床，在中庭曬頭，神氣傲邁，了無相酬對意。謝于是乃還。未至船，逆呼太傅，安曰：『阿螭不作爾！』

13 王子猷作桓車騎參軍。桓謂王曰：『卿在府久，比當相料理。』初不答，直高視，以手版拄頰云：『西山朝來，致有爽氣。』

14 謝萬北征，常以嘯咏自高，未嘗撫慰眾士。謝公甚器愛萬，而審其必敗，乃俱行，從容謂萬曰：『汝為元帥，宜數喚諸將宴會，以說眾心。』萬從之。因召集諸將，都無所說，直以如意指四坐云：『諸君皆是勁卒。』諸將甚忿恨之。謝公欲深著恩信，自隊主將帥以下，無不身造，厚相遜謝。及萬事敗，軍中因欲除之。復云：『當為隱士。』故幸而得免。

15 王子敬兄弟見郗公，躡履問訊，甚修外生禮。及嘉賓死，皆著高屐，儀容輕慢。命坐，皆云：『有事不暇坐。』既去，郗公慨然曰：『使嘉賓不死，鼠輩敢爾！』

16 王子猷嘗行過吳中，見一士大夫家極有好竹。主已知子猷當往，乃灑埽施設，在聽事坐相待。王肩輿徑造竹下，諷嘯良久，主已失望，猶冀還當通遂直欲出門。主人大不堪，便令左右閉門，不聽出。王更以此賞主人，乃留坐，盡歡而去。

17 王子敬自會稽經吳，聞顧辟疆有名園。先不識主人，徑往其家。值顧方集賓友酣燕，而王游歷既畢，指麾好惡，傍若無人。顧勃然不堪曰：「傲主人，非禮也；以貴驕人，非道也。失此二者，不足齒人傖耳！」便驅其左右出門。王獨在輿上，回轉顧望，左右移時不至，然後令送著門外，怡然不屑。

排調第二十五

1 諸葛瑾爲豫州，遣別駕到臺，語云：「小兒知談，卿可與語。」連往詣恪，恪不與相見。後于張輔吳坐中相遇，別駕喚恪：「咄咄郎君。」恪因嘲之曰：「豫州亂矣，何咄咄之有？」答曰：「君明臣賢，未聞其亂。」恪曰：「昔唐堯在上，四凶在下。」答曰：「非唯四凶，亦有丹朱。」于是一坐大笑。

2 晉文帝與二陳共車，過喚鍾會同載，即駛車委去。比出，已遠。既至，因嘲之曰：「與人期行，何以遲遲？望卿遙遙不至。」會答曰：「矯然懿實，何必同群？」帝復問會：「皋繇何如人？」答曰：「上不及堯、舜，下不逮周、孔，亦一時之懿士。」

世說新語

排調第二十五

3 鍾毓爲黃門郎，有機警，在景王坐燕飲。時陳羣子玄伯、武周子元夏同在坐，共嘲毓。景王曰：「皋繇何如人？」對曰：「古之懿士。」顧謂玄伯、元夏曰：「君子周而不比，群而不黨。」

4 嵇、阮、山、劉在竹林酣飲，王戎後往。步兵曰：「俗物已復來敗人意！」王笑曰：「卿輩意，亦復可敗邪？」

5 晉武帝問孫皓：「聞南人好作《爾汝歌》，頗能爲不？」皓正飲酒，因舉觴勸帝而言曰：「昔與汝爲鄰，今與汝爲臣。上汝一杯酒，令汝壽萬春！」帝悔之。

6 孫子荊年少時欲隱，語王武子「當枕石漱流」，誤曰「漱石枕流」。王曰：「流可枕，石可漱乎？」孫曰：「所以枕流，欲洗其耳；所以漱石，欲礪其齒。」

7 頭責秦子羽云：「子曾不如太原溫顒、潁川荀寓、范陽張華、士卿劉許、義陽鄒湛、河南鄭詡。此數子者，或謇吃無宮商，或尪陋希言語，或淹伊多姿

九三

態，或謔嘩少智諧，或曰如含膠飴，或頭如巾篷杵。而猶以文采可觀，意思詳序，攀龍附鳳，并登天府。

8 王渾與婦鍾氏共坐，見武子從庭過，渾欣然謂婦曰：『生兒如此，足慰人意。』婦笑曰：『若使新婦得配參軍，生兒故可不啻如此！』

9 荀鳴鶴、陸士龍二人未相識，俱會張茂先坐。張令共語，以其並有大才，可勿作常語。陸舉手曰：『雲間陸士龍。』荀答曰：『日下荀鳴鶴。』陸曰：『既開青雲睹白雉，何不張爾弓，布爾矢？』荀答曰：『本謂雲龍騤騤，定是山鹿野麋，獸弱弓強，是以發遲。』張乃撫掌大笑。

10 陸太尉詣王丞相，王公食以酪。陸還，遂病。明日，與王箋云：『昨食酪小過，通夜委頓。民雖吳人，幾為傖鬼。』

11 元帝皇子生，普賜群臣。殷洪喬謝曰：『皇子誕育，普天同慶。臣無勳焉，而猥頒厚賚。』中宗笑曰：『此事豈可使卿有勳邪？』

12 諸葛令、王丞相共爭姓族先後，王曰：『何不言葛、王，而云王、葛？』令曰：『譬言驢馬，不言馬驢，驢寧勝馬邪？』

世說新語

排調第二十五

13 劉真長始見王丞相，時盛暑之月，丞相以腹熨彈棋局，曰：『何乃渹？』劉既出，人問王公云何，劉曰：『未見他異，唯聞作吳語耳。』

14 王公與朝士共飲酒，舉琉璃碗謂伯仁曰：『此碗腹殊空，謂之寶器，何邪？』答曰：『此碗英英，誠為清徹，所以為寶耳！』

15 謝幼輿謂周侯曰：『卿類社樹，遠望之，峨峨拂青天，就而視之，其根則群狐所托，下聚溷而已！』答曰：『枝條拂青天，不以為高，；群狐亂其下，不以為濁。聚溷之穢，卿之所保，何足自稱！』

16 王長豫幼便和令，丞相愛恣甚篤。每共圍棋，丞相欲舉行，長豫按指不聽。丞相笑曰：『詎得爾，相與似有瓜葛。』

17 明帝問周伯仁：『真長何如人？』答曰：『故是千斤犢特。』王公笑其言。伯仁曰：『不如捲角牸，有盤辟之好。』

18 王丞相枕周伯仁膝，指其腹曰：『卿此中何所有？』答曰：『此中空洞

世說新語

排調第二十五

無物，然容卿輩數百人。」

19 干寶向劉真長叙其《搜神記》，劉曰：「卿可謂鬼之董狐。」

20 許文思往顧和許，顧先在帳中眠，許至，便徑就床角枕共語。既而喚顧共行，顧乃命左右取杭上新衣，易己體上所著。許笑曰：「卿乃復有行來衣乎？」

21 康僧淵目深而鼻高，王丞相每調之，僧淵曰：「鼻者，面之山；目者，面之淵。山不高則不靈，淵不深則不清。」

22 何次道往瓦官寺禮拜甚勤，阮思曠語之曰：「卿志大宇宙，勇邁終古。」何曰：「卿今日何故忽見推？」阮曰：「我圖數千戶郡，尚不能得；卿乃圖作佛，不亦大乎？」

23 庾征西大舉征胡，既成行，止鎮襄陽。殷豫章與書，送一折角如意以調之。庾答書曰：「得所致，雖是敗物，猶欲理而用之。」

24 桓大司馬乘雪欲獵，先過王、劉諸人許。真長見其裝束單急，問：「老賊欲持此何作？」桓曰：「我若不爲此，卿輩亦那得坐談？」

25 褚季野問孫盛：「卿國史何當成？」孫云：「久應竟，在公無暇，故至今日。」褚曰：「古人『述而不作』，何必在蠶室中？」

26 謝公在東山，朝命屢降而不動。後出爲桓宣武司馬，將發新亭，朝士咸出瞻送。高靈時爲中丞，亦往相祖。先時，多少飲酒，因倚如醉，戲曰：「卿屢違朝旨，高臥東山，諸人每相與言：『安石不肯出，將如蒼生何！』今亦蒼生將如卿何？」謝笑而不答。

27 初，謝安在東山居，布衣，時兄弟已有富貴者，翕集家門，傾動人物。劉夫人戲謂安曰：「大丈夫不當如此乎？」謝乃捉鼻曰：「但恐不免耳！」

28 支道林因人就深公買印山，深公答曰：「未聞巢、由買山而隱。」

29 王、劉每不重蔡公。二人嘗詣蔡，語良久，乃問蔡曰：「公自言何如夷甫？」答曰：「身不如夷甫。」王、劉相目而笑曰：「公何處不如？」答曰：「夷甫無君輩客！」

30 張吳興年八歲，虧齒，先達知其不常，故戲之曰：「君口中何爲開狗

寶？」張應聲答曰：「正使君輩從此中出入！」

31　郝隆七月七日出日中仰臥。人問其故，答曰：「我曬書。」

32　謝公始有東山之志，後嚴命屢臻，勢不獲已，始就桓公司馬。于時人有餉桓公藥草，中有「遠志」。公取以問謝：「此藥又名『小草』，何一物而二稱？」謝未即答。時郝隆在坐，應聲答曰：「此甚易解：處則爲遠志，出則爲小草。」謝甚有愧色。桓公目謝而笑曰：「郝參軍此過乃不惡，亦極有會。」

33　庾園客詣孫監，值行，見齊莊在外，尚幼，而有神意。庾試之曰：「孫安國何在？」即答曰：「庾稚恭家。」庾大笑曰：「諸孫大盛，有兒如此！」又答曰：「未若諸庾之翼翼。」還，語人曰：「我故勝，得重喚奴父名。」

34　范玄平在簡文坐，談欲屈，引王長史曰：「卿助我。」王曰：「此非拔山力所能助！」

35　郝隆爲桓公南蠻參軍。三月三日會，作詩。不能者罰酒三升。隆初以不能受罰，既飲，攬筆便作一句云：「娵隅躍清池。」桓問：「娵隅是何物？」答曰：「蠻名魚爲娵隅。」桓公曰：「作詩何以作蠻語？」隆曰：「千里投公，始得蠻府參軍，那得不作蠻語也？」

世説新語

排調第二十五

36　袁羊嘗詣劉恢，恢在內眠未起。袁因作詩調之曰：「角枕粲文茵，錦衾爛長筵。」劉尚晉明帝女，主見詩不平，曰：「袁羊，古之遺狂！」

37　殷洪遠答孫興公詩云：「聊復放一曲。」劉長笑其語拙，問曰：「君欲云那放？」殷曰：「櫨棃亦放，何必其鎗鈴邪？」

38　桓公既廢海西，立簡文，侍中謝公見桓公拜，桓驚笑曰：「安石，卿何事至爾？」謝曰：「未有君拜于前，臣立于後！」

39　郗重熙與謝公書，道王敬仁：「聞一年少懷問鼎。不知桓公德衰，爲復後生可畏？」

40　張蒼梧是張憑之祖，嘗語憑父曰：「我不如汝。」憑父未解所以，蒼梧曰：「汝有佳兒。」憑時年數歲，斂手曰：「阿翁，詎宜以子戲父！」

41　習鑿齒、孫興公未相識，同在桓公坐。桓語孫：「可與習參軍共語。」

孫云：『「蠢爾蠻荆」，敢與大邦爲仇？』習云：『「薄伐獫狁」，至于太原。』

42桓豹奴是王丹陽外生，形似其舅，桓甚諱之。宣武云：『不恒相似，時似耳！恒似是形，時似是神。』桓逾不說。

43王子猷詣謝萬，林公先在坐，瞻矚甚高。王曰：『若林公鬚髮并全，神情當復勝此不？』謝曰：『唇齒相須，不可以偏亡。鬚髮何關于神明！』林公意甚惡。曰：『七尺之軀，今日委君二賢。』

44郗司空拜北府，王黃門詣郗門拜，云：『應變將略，非其所長。』驟咏之不已。郗倉謂嘉賓曰：『公今日拜，子猷言語殊不遜，深不可容！』嘉賓曰：『此是陳壽作諸葛評。人以汝家比武侯，復何所言！』

45王子猷詣謝公，謝曰：『云何七言詩？』子猷承問，答曰：『昂昂若千里之駒，泛泛若水中之鳧。』

46王文度、范榮期俱爲簡文所要。范年大而位小，王年小而位大。將前，更相推在前，既移久，王遂在范後。王因謂曰：『簸之揚之，糠秕在前。』范曰：『洮之汰之，沙礫在後。』

世説新語

排調第二十五

九七

47劉遵祖少爲殷中軍所知，稱之于庾公。庾公甚忻然，便取爲佐。既見，劉爾日殊不稱，庾小失望，遂名之爲『羊公鶴』。昔羊叔子有鶴善舞，嘗向客稱之，客試使驅來，氄氃而不肯舞，故稱比之。

48魏長齊雅有體量，而才學非所經。初宦當出，虞存嘲之曰：『與卿約法三章：談者死，文筆者刑，商略抵罪。』魏怡然而笑，無忤于色。

49郗嘉賓書與袁虎，道戴安道、謝居士云：『恒任之風，當有所弘耳。』以袁無恒，故以此激之。

50范啓與郗嘉賓書曰：『子敬舉體無饒縱，掇皮無餘潤。』郗答曰：『舉體無餘潤，何如舉體非真者？』范性矜假多煩，故嘲之。

51二郗奉道，二何奉佛，皆以財賄。謝中郎云：『二郗諂于道，二何佞于佛。』

52王文度在西州，與林法師講，韓、孫諸人并在坐，林公理每欲小屈，孫

世說新語

排調第二十五

興公曰：『法師今日如著弊絮在荊棘中，觸地挂閡。』

殷有一參軍在坐，云：『盲人騎瞎馬，夜半臨深池。』殷曰：『咄咄逼人！』仲堪眇目故也。

53 范榮期見郗超俗情不淡，戲之曰：『夷、齊、巢、許，一詣垂名。何必勞神苦形，支策據梧邪？』郗未答，韓康伯曰：『何不使游刃皆虛？』

54 簡文在殿上行，右軍與孫興公在後。右軍指簡文語孫曰：『此噉名客！』簡文顧曰：『天下自有利齒兒。』後王光祿作會稽，謝車騎出曲阿之。王孝伯罷秘書丞，在坐，謝言及此事，因視孝伯曰：『王丞齒似不鈍。』王曰：『不鈍，頗亦驗。』

55 謝遏夏月嘗仰臥，謝公清晨卒來，不暇著衣，跣出屋外，方躡履問訊。

56 顧長康作殷荊州佐，請假還東。爾時例不給布颿，顧苦求之，乃得發。至破冢，遭風大敗。作箋與殷云：『地名破冢，真破冢而出。行人安穩，布颿無恙。』公曰：『汝可謂「前倨而後恭」。』

57 苻朗初過江，王咨議大好事，問中國人物及風土所生，終無極已。朗大患之。次復問奴婢貴賤，朗云：『謹厚有識中者乃至十萬；無意為奴婢問者，止數千耳。』

58 東府客館是版屋。謝景重詣太傅，時賓客滿中，初不交言，直仰視云：『王乃復西戎其屋。』

59 顧長康噉甘蔗，先食尾。問所以，云：『漸至佳境。』

60 孝武屬王珣求女婿，曰：『王敦、桓溫，磊砢之流，既不可復得，且小如意，亦好豫人家事，酷非所須。正如真長、子敬比，最佳。』珣舉謝混。後袁山松欲擬謝婚，王曰：『卿莫近禁臠。』

61 桓南郡與殷荊州語次，因共作了語。顧愷之曰：『火燒平原無遺燎。』次復作危語。桓曰：『白布纏棺豎旒旐。』殷曰：『投魚深淵放飛鳥。』桓曰：『矛頭淅米劍頭炊。』殷曰：『百歲老翁攀枯枝。』顧曰：『井上轆轤臥嬰兒。』

世說新語

輕詆第二十六

62 桓玄出射，有一劉參軍與周參軍朋賭，垂成，唯少一破。劉謂周曰：『卿此起不破，我當撻卿。』周曰：『何至受卿撻？』劉曰：『伯禽之貴，尚不免撻，而況于卿！』周殊無忤色。桓語庾伯鸞曰：『劉參軍宜停讀書，周參軍且勤學問。』

63 桓南郡與道曜講《老子》，王侍中為主簿在坐。桓曰：『王主簿，可顧名思義。』王未答，且大笑。桓曰：『王思道能作大家兒笑。』

64 祖廣行恒縮頭。詣桓南郡，始下車，桓曰：『天甚晴朗，祖參軍如從屋漏中來。』

65 桓玄素輕桓崖，崖在京下有好桃，玄連就求之，遂不得佳者。玄與殷仲文書以為嗤笑曰：『德之休明，肅慎貢其楛矢；如其不爾，籬壁閒物亦不可得也。』

輕詆第二十六

九九

1 王太尉問眉子：『汝叔名士，何以不相推重？』眉子曰：『何有名士終日妄語！』

2 庾元規語周伯仁：『諸人皆以君方樂。』周曰：『何樂？謂樂毅邪？』庾曰：『不爾，樂令耳！』周曰：『何乃刻畫無鹽，以唐突西子也。』

3 深公云：『人謂庾元規名士，胸中柴棘三斗許。』

4 庾公權重，足傾王公。庾在石頭，王在冶城坐。大風揚塵，王以扇拂塵曰：『元規塵污人！』

5 王右軍少時甚澀訥。在大將軍許，王、庾二公後來，右軍便起欲去，大將軍留之，曰：『爾家司空、元規，復可所難？』

6 王丞相輕蔡公，曰：『我與安期、千里共游洛水邊，何處聞有蔡充兒？』

7 褚太傅初渡江，嘗入東，至金昌亭。吳中豪右燕集亭中。褚公雖素有重名，于時造次不相識，別敕左右多與茗汁，少著粽，汁盡輒益，使終不得食。褚公飲訖，徐舉手共語云：『褚季野！』于是四座驚散，無不狼狽。

8 王右軍在南，丞相與書，每嘆子侄不令，云：『虎獨、虎犢，還其所如。』

世說新語

輕詆第二十六

9 褚太傅南下，孫長樂于船中視之。言次及劉真長死，孫流涕，因諷詠曰：「人之云亡，邦國殄瘁。」孫回泣向褚曰：「真長平生，何嘗相比數，而卿今日作此面向人！」褚大怒曰：「卿當念我！」時咸笑其才而性鄙。

10 謝鎮西書與殷揚州，為真長求會稽，殷答曰：「真長標同伐異，俠之大者。常謂使君降階為甚，乃復為之驅馳邪？」

11 桓公入洛，過淮泗，踐北境，與諸僚屬登平乘樓，眺矚中原，慨然曰：「遂使神州陸沈，百年丘墟，王夷甫諸人不得不任其責！」袁虎率而對曰：「運自有廢興，豈必諸人之過？」桓公懍然作色，顧謂四坐曰：「諸君頗聞劉景升不？有大牛重千斤，啖芻豆十倍于常牛，負重致遠，曾不若一羸牸。魏武入荊州，烹以饗士卒，于時莫不稱快。」意以況袁。四坐既駭，袁亦失色。

12 袁虎、伏滔同在桓公府。桓公每游燕，輒命袁、伏，袁甚恥之，恒嘆曰：「公之厚意，未足以榮國士，與伏滔比肩，亦何辱如之？」

13 高柔在東，甚為謝仁祖所重。既出，不為王、劉所知。仁祖曰：「近見高柔大自敷奏，然未有所得。」真長云：「故不可在偏地居，輕在角䚡中為人作議論。」高柔聞之，云：「我就伊無所求。」人有向真長學此言者，真長曰：「我實亦無可與伊者。」然游燕猶與諸人書：「可要安固？」安固者，高柔也。

14 劉尹、江虨、王叔虎、孫興公同坐，江、王有相輕色。虨以手歃叔虎云：「酷吏！」詞色甚強。劉尹顧謂：「此是瞋邪？非特是醜言聲，拙視瞻。」

15 孫綽作《列仙商丘子贊》曰：「所牧何物？殆非真豬。儻遇風雲，為我龍攄。」時人多以為能。王藍田語人云：「近見孫家兒作文，道『何物、真豬』也。」

16 桓公欲遷都，以張拓定之業。孫長樂上表諫此議，甚有理。桓見表心服，而忿其為異。令人致意孫云：「君何不尋《遂初賦》，而強知人家國事！」

17 孫長樂兄弟就謝公宿，言至款雜。劉夫人在壁後聽之，具聞其語。謝公明日還，問：「昨客何似？」劉對曰：「亡兄門未有如此賓客！」謝深有愧色。

18 簡文與許玄度共語，許云：「舉君親以為難。」簡文便不復答，許去後曰：「玄度故可不至於此。」

世說新語

輕詆第二十六

而言曰：『玄度故可不至于此！』

19 謝萬壽春敗後，還，書與王右軍云：『慚負宿顧。』右軍推書曰：『此禹、湯之戒。』

20 蔡伯喈睹睞笛椽，孫興公聽妓振且擺折。王右軍聞，大嗔曰：『三祖壽樂器，咂瓦弔，孫家兒打折。』

21 王中郎與林公絕不相得。王謂林公詭辯，林公道王云：『著膩顏帢，絺布單衣，挾《左傳》，逐鄭康成車後，問是何物塵垢囊！』王孝伯見曰：『才士不遜，亡祖何至與此人周旋！』

22 孫長樂作王長史誄云：『余與夫子，交非勢利，心猶澄水，同此玄味。』

23 謝太傅謂子姪曰：『中郎始是獨有千載！』車騎曰：『中郎衿抱未虛，復那得獨有？』

24 庾道季詫謝公曰：『裴郎云：謝安謂裴郎乃可不惡，何得為復飲酒？』裴郎又云：『謝安目支道林，如九方皋之相馬，略其玄黃，取其俊逸。』謝公云：『都無此二語，裴自為此辭耳！』庾意甚不以為好，因陳東亭《經酒壚下賦》。讀畢，都不下賞裁，直云：『君乃復作裴氏學！』于此《語林》遂廢。今時有者，皆是先寫，無復謝語。

25 王北中郎不為林公所知，乃著論《沙門不得為高士論》。大略云：『高士必在于縱心調暢，沙門雖云俗外，反更束于教，非情性自得之謂也。』

26 人問顧長康：『何以不作洛生咏？』答曰：『何至作老婢聲！』

27 殷顗、庾恒并是謝鎮西外孫。殷少而率悟，庾每不推。嘗俱詣謝公，謝公熟視殷曰：『阿巢故似鎮西。』于是庾下聲語曰：『定何似？』謝公續復云：『巢頗似鎮西。』庾復云：『頗似，足作健不？』

28 舊目韓康伯將肘無風骨。

29 苻宏叛來歸國，謝太傅每加接引，宏自以有才，多好上人，坐上無折之者。適王子猷來，太傅使共語。子猷直孰視良久，回語太傅云：『亦復竟不異人！』宏大慚而退。

世説新語

假譎第二十七

30 支道林入東，見王子猷兄弟，還，人問：「見諸王何如？」答曰：「見一群白頸烏，但聞喚啞啞聲。」

31 王中郎舉許玄度為吏部郎。郗重熙曰：「相王好事，不可使阿訥在坐。」

32 王興道謂謝望蔡霍霍如失鷹師。

33 桓南郡每見人不快，輒嗔云：「君得哀家梨，當復不烝食不？」

假譎第二十七

1 魏武少時，嘗與袁紹好為游俠。觀人新婚，因潛入主人園中，夜叫呼云：「有偷兒賊！」青廬中人皆出觀，魏武乃入，抽刃劫新婦，與紹還出。失道，墜枳棘中，紹不能得動。復大叫云：「偷兒在此！」紹遑迫自擲出，遂以俱免。

2 魏武行役，失汲道，軍皆渴，乃令曰：「前有大梅林，饒子，甘酸，可以解渴。」士卒聞之，口皆出水。乘此得及前源。

3 魏武常言：「人欲危己，己輒心動。」因語所親小人曰：「汝懷刃密來我側，我必說『心動』，執汝使行刑，汝但勿言其使，無他，當厚相報！」執者信焉，不以為懼，遂斬之。此人至死不知也。

4 魏武常云：「我眠中不可妄近，近便斫人，亦不自覺。左右宜深慎此！」後陽眠，所幸一人竊以被覆之，因便斫殺。自爾每眠，左右莫敢近者。

5 袁紹年少時，曾遣人夜以劍擲魏武，少下，不著。魏武揆之，其後來必高。因帖臥床上，劍至果高。

6 王大將軍既為逆，頓軍姑孰。晉明帝以英武之才，猶相猜憚，乃著戎服，騎巴賨馬，賫一金馬鞭，陰察軍形勢。未至十餘里，有一客姥居店賣食，帝過愒之，謂姥曰：「王敦舉兵圖逆，猜害忠良，朝廷駭懼，社稷是憂。故勤勞晨夕，用相覘察。恐形迹危露，或致狼狽。追迫之日，姥其匿之。」便與客姥馬鞭而去，行敦營匝而出，軍士覺，曰：「此非常人也！」敦臥心動，曰：「此必黃須鮮卑奴來！」命騎追之，已覺多許里，追士因問向姥，姥曰：「去已久矣，不可復及。」於是騎人息意而反。

7 王右軍年減十歲時，大將軍甚愛之，恒置帳中眠。大將軍嘗先出，右軍

世說新語

假譎第二十七

一〇三

猶未起。須臾，錢鳳入，屏人論事，都忘右軍在帳中，便言逆節之謀。右軍覺，

既聞所論，知無活理，乃陽吐污頭面被褥，詐孰眠。敦論事造半，方意右軍未

起，相與大驚曰：「不得不除之！」及開帳，乃見吐唾縱橫，信其實孰眠，于是

得全。于時稱其有智。

8陶公自上流來赴蘇峻之難，令誅庾公。謂必戮庾，可以謝峻。庾欲奔竄，

則不可；欲會，恐見執。溫公勸庾詣陶，曰：「卿但遙拜，必無他。

我為卿保之。」庾從溫言詣陶。至，便拜。陶自起止之，曰：「庾元規何緣拜

陶士衡？」畢，又降就下坐。陶又自要起同坐。坐定，庾乃引咎責躬，深相遜謝，

陶不覺釋然。

9溫公喪婦。從姑劉氏家值亂離散，唯有一女，甚有姿慧。姑以屬公覓婚。

公密有自婚意，答云：「佳婿難得，但如嶠比，云何？」姑云：「喪敗之餘，乞

粗存活，便足慰吾餘年，何敢希汝比？」却後少日，公報姑云：「已覓得婚處，

門地粗可，婿身名宦盡不減嶠。」因下玉鏡臺一枚。姑大喜。既婚，交禮，女

以手披紗扇，撫掌大笑曰：「我固疑是老奴，果如所卜！」玉鏡臺，是公為劉

越石長史，北征劉聰所得。

10諸葛令女，庾氏婦，既寡，誓云不復重出！此女性甚正強，無有登車理。

恢既許江思玄婚，乃移家近之。初，誑女云：「宜徙于是。」家人一時去，獨留

女在後。比其覺，已不復得出。江郎莫來，女哭詈彌甚，積日漸歇。江虨暝入

宿，恆在對床上。後觀其意轉帖，虨乃詐厭，良久不悟，聲氣轉急。女乃呼婢

云：「喚江郎覺！」江于是躍來就之，曰：「我自是天下男子，厭何預卿事而

見喚邪？既爾相關，不得不與人語。」女默然而慚，情義遂篤。

11愍度道人始欲過江，與一傖道人為侶，謀曰：「用舊義在江東，恐不辦

得食。」便共立「心無義」。既而此道人不成渡。愍度果講義積年。後有傖

人來，先道人寄語云：「為我致意愍度，無義那可立？治此計，權救饑爾！無

為遂負如來也。」

12王文度弟阿智，惡乃不翅，當年長而無人與婚。孫興公有一女，亦僻錯，

世說新語

黜免第二十八

又無嫁娶理。因詣文度，求見阿智。既見，便陽言：『此定可，殊不如人所傳，那得至今未有婚處？我有一女，乃不惡，但吾寒士，不宜與卿計，欲令阿智娶之。』文度欣然而啓藍田云：『興公向來，忽言欲與阿智婚。』藍田驚喜。既成婚，女之頑囂，欲過阿智。方知興公之詐。

13 范玄平為人好用智數，而有時以多數失會。嘗失官居東陽，桓大司馬在南州，故往投之。桓時方欲招起屈滯，以傾朝廷；且玄平在京，素亦有譽，桓謂遠來投己，喜躍非常。比人至庭，傾身引望，語笑歡甚。顧謂袁虎曰：『范公且可作太常卿。』范裁坐，桓便謝其遠來意。范雖實投桓，而恐以趨時損名，乃曰：『雖懷朝宗，會有亡兒瘞在此，故來省視。』桓悵然失望，向之虛佇，一時都盡。

14 謝遏年少時，好著紫羅香囊，垂覆手。太傅患之，而不欲傷其意，乃譎與賭，得即燒之。

黜免第二十八

1 諸葛厷在西朝，少有清譽，為王夷甫所重，時論亦以擬王。後為繼母族黨所讒，誣之為狂逆。將遠徙，友人王夷甫之徒，詣檻車與別。厷問：『朝廷何以徙我？』王曰：『言卿狂逆。』厷曰：『逆則應殺，狂何所徙？』

2 桓公入蜀，至三峽中，部伍中有得猿子者。其母緣岸哀號，行百餘里不去，遂跳上船，至便即絕。破視其腹中，腸皆寸寸斷。公聞之，怒，命黜其人。

3 殷中軍被廢，在信安，終日恒書空作字。揚州吏民尋義逐之，竊視，唯作『咄咄怪事』四字而已。

4 桓公坐有參軍椅烝薤，不時解，共食者又不助，而椅終不放，舉坐皆笑。桓公曰：『同盤尚不相助，況復危難乎？』敕令免官。

5 殷中軍廢後，恨簡文曰：『上人著百尺樓上，儋梯將去。』

6 鄧竟陵免官後赴山陵，過見大司馬桓公。公問之曰：『卿何以更瘦？』鄧曰：『有愧于叔達，不能不恨于破甑！』

7 桓宣武既廢太宰父子，仍上表曰：『應割近情，以存遠計。若除太宰父子，可無後憂。』簡文手答表曰：『所不忍言，況過于言？』宣武又重表，辭轉

世説新語

儉嗇第二十九

儉嗇第二十九

1 和嶠性至儉，家有好李，王武子求之，與不過數十。王武子因其上直，率將少年能食之者，持斧詣園，飽共啖畢，伐之。送一車枝與和公，問曰：『何如君李？』和既得，唯笑而已。

2 王戎儉吝，其從子婚，與一單衣，後更責之。

3 司徒王戎，既貴且富，區宅、僮牧、膏田、水碓之屬，洛下無比。契疏鞅掌，每與夫人燭下散籌筭計。

4 王戎有好李，賣之，恐人得其種，恒鑽其核。

5 王戎女適裴頠，貸錢數萬。女歸，戎色不說，女遽還錢，乃釋然。

6 衛江州在尋陽，有知舊人投之，都不料理，唯餉『王不留行』一斤。此人得餉，便命駕。李弘範聞之曰：『家舅刻薄，乃復驅使草木。』

7 王丞相儉節，帳下甘果，盈溢不散。涉春爛敗，都督白之，公令舍去。

8 蘇峻之亂，庾太尉南奔見陶公。陶公雅相賞重。及食，啖薤，庾因留白。陶問：『用此何為？』庾云：『故可種。』于是大嘆庾非唯風流，兼有治實。

9 郗公大聚斂，有錢數千萬。嘉賓意甚不同，常朝旦問訊。郗家法：子弟不坐。因倚語移時，遂及財貨事。郗公曰：『汝正當欲得吾錢耳！』乃開庫一日，令任意用。郗公始正謂損數百萬許。嘉賓遂一日乞與親友，周旋略盡。

汰侈第三十

1 石崇

───

（右側欄）

苦切。簡文更答曰：『若晉室靈長，明公便宜奉行此詔。如大運去矣，請避賢路！』桓公讀詔，手戰流汗，于此乃止。太宰父子，遠徙新安。

8 桓玄敗後，殷仲文還為大司馬咨議，意似二三，非復往日。大司馬府聽前有一老槐，甚扶疏。殷因月朔，與眾在聽，視槐良久，嘆曰：『槐樹婆娑，無復生意！』

9 殷仲文既素有名望，自謂必當阿衡朝政。忽作東陽太守，意甚不平，及之郡，至富陽，慨然嘆曰：『看此山川形勢，當復出一孫伯符！』

汰侈第三十

1 石崇每要客燕集，常令美人行酒。客飲酒不盡者，使黃門交斬美人。王丞相與大將軍嘗共詣崇，丞相素不善飲，輒自勉強，至于沈醉。每至大將軍，固不飲以觀其變，已斬三人，顏色如故，尚不肯飲。丞相讓之，大將軍曰：「自殺伊家人，何預卿事！」

2 石崇廁，常有十餘婢侍列，皆麗服藻飾。置甲煎粉，沈香汁之屬，無不畢備。又與新衣著令出，客多羞不能如廁。王大將軍往，脫故衣，著新衣，神色傲然。群婢相謂曰：「此客必能作賊。」

3 武帝嘗降王武子家，武子供饌，并用琉璃器。婢子百餘人，皆綾羅綷襹，以手擎飲食。烝㹠肥美，異于常味。帝怪而問之，答曰：「以人乳飲㹠。」帝甚不平，食未畢，便去。王、石所未知作。

4 王君夫以粘糒澳釜，石季倫用蠟燭作炊。君夫作紫絲布步障碧綾裏

世説新語

汰侈第三十

一○六

四十里，石崇作錦步障五十里以敵之。石以椒為泥，王以赤石脂泥壁。

5 石崇為客作豆粥，咄嗟便辦。恒冬天得韭萍虀。又牛形狀氣力不勝王愷牛，而與愷出游，極晚發，爭入洛城，崇牛數十步後迅若飛禽，愷牛絕走不能及。每以此三事撼腕，乃密貨崇帳下都督及御車人，問所以。都督曰：「豆至難煮，唯豫作熟末，客至，作白粥以投之。韭萍虀是搗韭根，雜以麥苗爾。」復問馭人牛所以駛。馭人云：「牛本不遲，由將車人不及制之爾。急時聽偏轅，則駛矣。」愷悉從之，遂爭長。石崇後聞，皆殺告者。

6 王君夫有牛名『八百里駁』，常瑩其蹄角。王武子語君夫：「我射不如卿，今指賭卿牛，以千萬對之。」君夫既恃手快，且謂駿物無有殺理，便相然可，令武子先射。武子一起便破的，卻據胡床，叱左右：「速探牛心來！」須臾，炙至，一臠便去。

7 王君夫嘗責一人無服餘祖，因直，內著曲閤重閨裏，不聽人將出。遂饑經日，迷不知何處去。後因緣相為，垂死，乃得出。

8 石崇與王愷爭豪，并窮綺麗以飾輿服。武帝，愷之甥也，每助愷。嘗以
一珊瑚樹高二尺許賜愷。枝柯扶疏，世罕其比。愷以示崇。崇視訖，以鐵如
意擊之，應手而碎。愷既惋惜，又以爲疾己之寶，聲色甚厲。崇曰：『不足恨，
今還卿。』乃命左右悉取珊瑚樹，有三尺四尺，條幹絕世，光彩溢目者六七枚，
如愷許比甚衆。愷惘然自失。

9 王武子被責，移第北邙下。于時人多地貴，濟好馬射，買地作埒，編錢
匝地竟埒。時人號曰『金溝』。

10 石崇每與王敦入學戲，見顏、原象而嘆曰：『若與同升孔堂，去人何必
有間！』王曰：『不知餘人云何？子貢去卿差近。』石正色云：『士當令身名
俱泰，何至以甕牖語人！』

11 彭城王有快牛，至愛惜之。王太尉與射，賭得之。彭城王曰：『君欲自乘，
則不論；若欲噉者，當以二十肥者代之。既不廢噉，又存所愛。』王遂殺噉。

12 王右軍少時，在周侯末坐，割牛心噉之。于此改觀。

世說新語

忿狷第三十一

忿狷第三十一

一〇七

1 魏武有一妓，聲最清高，而情性酷惡。欲殺則愛才，欲置則不堪。于是
選百人，一時俱教。少時果有一人聲及之，便殺惡性者。

2 王藍田性急。嘗食雞子，以筯刺之，不得，便大怒，舉以擲地。雞子于
地圓轉未止，仍下地以屐齒蹍之，又不得，瞋甚，復于地取內口中，齧破即吐
之。王右軍聞而大笑曰：『使安期有此性，猶當無一豪可論，況藍田邪？』

3 王司州嘗乘雪往王螭許。司州言氣少有悟逆于螭，便作色不夷。司州
覺惡，便輿床就之，持其臂曰：『汝詎復足與老兄計！』螭撥其手曰：『冷如
鬼手馨，強來捉人臂！』

4 桓宣武與袁彥道樗蒲。袁彥道齒不合，遂厲色擲去五木。溫太真云：
『見袁生遷怒，知顏子爲貴。』

5 謝無奕性粗強。以事不相得，自往數王藍田，肆言極罵。王正色面壁
不敢動。半日謝去，良久，轉頭問左右小吏曰：『去未？』答云：『已去。』然

後復坐。時人嘆其性急而能有所容。

6 王令詣謝公，值習鑿齒已在坐，當與併榻。王徙倚不坐，公引之與對榻。

去後，語胡兒曰：『子敬實自清立，但人爲爾多矜咳，殊足損其自然。』

7 王大、王恭嘗俱在何僕射坐。恭時爲丹陽尹，大始拜荊州。訖將乖之

際，大勸恭酒。恭不爲飲，大逼強之，轉苦。便各以裙帶繞手。恭府近千人，悉

呼入齋；大左右雖少，亦命前，意便欲相殺。何僕射無計，因起排坐二人之間，

方得分散。所謂勢利之交，古人羞之。

8 桓南郡小兒時，與諸從兄弟各養鵝共鬥。南郡鵝每不如，甚以爲忿。

乃夜往鵝欄間，取諸兄弟鵝悉殺之。既曉，家人咸以驚駭，云是變怪，以白車

騎。車騎曰：『無所致怪，當是南郡戲耳！』間，果如之。

世說新語

讒險第三十二

1 王平子形甚散朗，內實勁俠。

2 袁悦有口才，能短長說，亦有精理。始作謝玄參軍，頗被禮遇。後丁

艱，服除還都，唯賷《戰國策》而已。語人曰：『少年時讀《論語》、《老子》，

又看《莊》、《易》，此皆是病痛事，當何所益邪？天下要物，正有《戰國策》。』

既下，說司馬孝文王，大見親待，幾亂機軸，俄而見誅。

3 孝武甚親敬王國寶、王雅。雅薦王珣于帝，帝欲見之。嘗夜與國寶、雅

相對，帝微有酒色，令喚珣。垂至，已聞卒傳聲，國寶自知才出珣下，恐傾奪要

寵，因曰：『王珣當今名流，陛下不宜有酒色見之，自可別詔召也。』帝然其

言，心以爲忠，遂不見珣。

4 王緒數讒殷荊州于王國寶，殷甚患之，求術于王東亭。曰：『卿但數詣

王緒，往輒屏人，因論它事。如此，則二王之好離矣。』殷從之。國寶見王緒，

問曰：『比與仲堪屏人何所道？』緒云：『故是常往來，無它所論。』國寶謂

緒于己有隱，果情好日疏，讒言以息。

尤悔第三十三

1 魏文帝忌弟任城王驍壯。因在卞太后閤共圍棋，并啖棗，文帝以毒置

世說新語

尤悔第三十三

諸棗蒂中。自選可食者而進，王弗悟，遂雜進之。既中毒，太后索水救之。帝預敕左右毀瓶罐，太后徒跣趨井，無以汲。須臾，遂卒。復欲害東阿，太后曰：『汝已殺我任城，不得復殺我東阿。』

2 王渾後妻，琅邪顏氏女。王時爲徐州刺史，交禮拜訖，王將答拜，觀者咸曰：『王侯州將，新婦州民，恐無由答拜。』王乃止。武子以其父不答拜，不成禮，恐非夫婦，不爲之拜，謂爲『顏妾』。顏氏恥之。以其門貴，終不敢離。

3 陸平原河橋敗，爲盧志所讒，被誅。臨刑嘆曰：『欲聞華亭鶴唳，可復得乎！』

4 劉琨善能招延，而拙于撫御。一日雖有數千人歸投，其逃散而去，亦復如此，所以卒無所建。

5 王平子始下，丞相語大將軍：『不可復使羌人東行。』平子面似羌。

6 王大將軍起事，丞相兄弟詣闕謝。周侯深憂諸王，始入，甚有憂色。丞相呼周侯曰：『百口委卿！』周直過不應。既入，苦相存救。既釋，周大說飲酒。及出，諸王故在門。周曰：『今年殺諸賊奴，當取金印如斗大，繫肘後。』大將軍至石頭，問丞相曰：『周侯可爲三公不？』丞相不答。又問：『可爲尚書令不？』又不應。因云：『如此，唯當殺之耳！』復默然。逮周侯被害，丞相後知周侯救己，嘆曰：『我不殺周侯，周侯由我而死。幽冥中負此人！』

7 王導、溫嶠俱見明帝，帝問溫前世所以得天下之由。溫未答。頃，王曰：『溫嶠年少未諳，臣爲陛下陳之。』王乃具敘宣王創業之始，誅夷名族，寵樹同己。及文王之末，高貴鄉公事。明帝聞之，復面著床曰：『若如公言，祚安得長！』

8 王大將軍于衆坐中曰：『諸周由來未有作三公者。』有人答曰：『唯周侯邑五馬領頭而不克。』大將軍曰：『我與周洛下相遇，一面頓盡。值世紛紜，遂至于此！』因爲流涕。

9 溫公初受劉司空使勸進，母崔氏固駐之，嶠絕裾而去。迄于崇貴，鄉品猶不過也。每爵，皆發詔。

10庾公欲起周子南，子南執辭愈固。庾每詣周，庾從南門入，周從後門出。庾嘗一往奄至，周不及去，相對終日。庾從周索食，周出蔬食，庾亦強飯，極歡；并語世故，約相推引，同佐世之任。既仕，至將軍二千石，而不稱意。中宵慨然曰：『大丈夫乃爲庾元規所賣！』一嘆，遂發背而卒。

11阮思曠奉大法，敬信甚至。大兒年未弱冠，忽被篤疾。兒既是偏所愛重，爲之祈請三寶，晝夜不懈。謂至誠有感者，必當蒙祐。而兒遂不濟。于是結恨釋氏，宿命都除。

12桓宣武對簡文帝，不甚得語。廢海西後，宜自申叙，乃豫撰數百語，陳廢立之意。既見簡文，簡文便泣下數十行。宣武矜愧，不得一言。

13桓公臥語曰：『作此寂寂，將爲文、景所笑！』既而屈起坐曰：『既不能流芳後世，亦不足復遺臭萬載邪？』

14謝太傅于東船行，小人引船，或遲或速，或停或待，又放船從橫，撞人觸岸。公初不呵譴。人謂公常無嗔喜。曾送兄征西葬還，日莫雨駛，小人皆醉，不可處分。公乃于車中手取車柱撞馭人，聲色甚厲。夫以水性沈柔，入隘奔激。方之人情，固知迫隘之地，無得保其夷粹。

15簡文見田稻，不識，問是何草？左右答是稻。簡文還，三日不出，云：『寧有賴其末而不識其本！』

16桓車騎在上明畋獵。東信至，傳淮上大捷。語左右云：『群謝年少，大破賊。』因發病薨。談者以爲此死，賢于讓揚之荆。

17桓公初報破殷荆州，曾講《論語》，至『富與貴，是人之所欲，不以其道得之，不處』，玄意色甚惡。

紕漏第三十四

1王敦初尚主，如廁，見漆箱盛乾棗，本以塞鼻，王謂廁上亦下果，食遂至盡。既還，婢擎金澡盤盛水，琉璃碗盛澡豆，因倒著水中而飲之，謂是乾飯。群婢莫不掩口而笑之。

2元皇初見賀司空，言及吳時事，問：『孫皓燒鋸截一賀頭，是誰？』司空

未得言，元皇自憶曰：「是賀劭。」司空流涕曰：「臣父遭遇無道，創巨痛深，無以仰答明詔。」元皇愧慚，三日不出。

3 蔡司徒渡江，見彭蜞，大喜曰：「蟹有八足，加以二螯。」令烹之。既食，吐下委頓，方知非蟹。後向謝仁祖說此事，謝曰：「卿讀《爾雅》不熟，幾爲《勸學》死。」

4 任育長年少時，甚有令名。武帝崩，選百二十挽郎，一時之秀彥，育長亦在其中。王安豐選女婿，從挽郎搜其勝者，且擇取四人，任猶在其中。童少時神明可愛，時人謂育長影亦好。自過江，便失志。王丞相請先度時賢共至石頭迎之，猶作疇日相待，一見便覺有異。坐席竟，下飲，便問人云：「此爲茶爲茗？」覺有異色，乃自申明云：「向問飲爲熱爲冷耳。」嘗行從棺邸下度，流涕悲哀。王丞相聞之曰：「此是有情痴。」

5 謝虎子嘗上屋熏鼠，胡兒既無由知父爲此事，聞人道痴人有作此者。戲笑之，時道此非復一過。太傅既了己之不知，因其言次，語胡兒曰：「世人以此謗中郎，亦言我共作此。」胡兒懊熱，一月日閉齋不出。太傅虛託引己之過，以相開悟，可謂德教。

6 殷仲堪父病虛悸，聞床下蟻動，謂是牛鬥。孝武不知是殷公，問仲堪：「有一殷，病如此不？」仲堪流涕而起曰：「臣進退唯谷。」

7 虞嘯父爲孝武侍中，帝從容問曰：「卿在門下，初不聞有所獻替。」虞家富春，近海，謂帝望其意氣，對曰：「天時尚暖，䱜魚蝦鮓未可致，尋當有所上獻。」帝撫掌大笑。

8 王大喪後，朝論或云「國寶應作荊州」。國寶主簿夜函白事，云：「荊州事已行。」國寶大喜，而夜開閣，喚綱紀話勢，雖不及作荊州，而意色甚怡。曉遣參問，都無此事。即喚主簿數之曰：「卿何以誤人事邪？」

惑溺第三十五

1 魏甄后惠而有色，先爲袁熙妻，甚獲寵。曹公之屠鄴也，令疾召甄，左右白：「五官中郎已將去。」公曰：「今年破賊正爲奴。」

潘《金谷集詩》云：「投分寄石友，白首同所歸。」乃成其讖。

2 劉璵兄弟少時爲王愷所憎，嘗召二人宿，欲默除之。令作阬，阬畢，垂加害矣。石崇素與璵、琨善，聞就愷宿，知當有變，便夜往詣愷，問二劉所在。愷卒迫不得諱，答云：「在後齋中眠。」石便徑入，自牽出，同車而去。語曰：「少年，何以輕就人宿！」

3 王大將軍執司馬愍王，夜遣世將載王于車而殺之，當時不盡知也。雖愍王家，亦未之皆悉，而無忌兄弟皆稚。王胡之與無忌，長甚相昵。胡之嘗共游，無忌入告母，請爲饌。母流涕曰：「王敦昔肆酷汝父，假手世將。吾所以積年不告汝者，王氏門強，汝兄弟尚幼，不欲使此聲著，蓋以避禍耳！」無忌驚號，抽刃而出，胡之去已遠。

4 應鎮南作荊州，王脩載、譙王子無忌同至新亭與別，坐上賓甚多，不悟二人俱到。有一客道：「譙王丞致禍，非大將軍意，正是平南所爲耳。」無忌因奪直兵參軍刀，便欲斫脩載。走投水，舸上人接取得免。

世說新語

仇隙第三十六

5 王右軍素輕藍田。藍田晚節論譽轉重，右軍尤不平。藍田于會稽丁艱，停山陰治喪。右軍代爲郡，屢言出吊，連日不果。後詣門自通，主人既哭，不前而去，以陵辱之。于是彼此嫌隙大搆。後藍田臨揚州，右軍尚在郡。初得消息，遣一參軍詣朝廷，求分會稽爲越州。使人受意失旨，大爲時賢所笑。藍田密令從事數其郡諸不法，以先有隙，令自爲其宜。右軍遂稱疾去郡，以憤慨致終。

6 王東亭與孝伯語，後漸異。孝伯謂東亭曰：「卿便不可復測！」答曰：「王陵廷爭，陳平從默，但問克終云何耳。」

7 王孝伯死，懸其首于大桁。司馬太傅命駕出，至標所，孰視首，曰：「卿何故趣欲殺我邪？」

8 桓玄將篡，桓脩欲因玄在脩母許襲之，庾夫人云：「汝等近，過我餘年，我養之，不忍見行此事。」